生成AIの核心

「新しい知」といかに向き合うか

西田宗千佳 Nishida Munechika

NHK出版新書
705

はじめに

テクノロジーの発達は、幾度も世界を変えてきた。ただしその多くは、事前に予想されたような形で生まれたわけでも、世の中に浸透していったわけでもない。

1940年代には「コンピュータは世界に5台あればいい」という言説があったという。コンピュータとは巨大かつ維持にコストがかかるもので、政府や大企業にしかニーズはないから極端には増えない……という発想だ。

「爪先で押せない。物理的なボタンがないと、電話としては使いづらい」「マイクが口の近くまで来ないと通話しづらい」

2007年にiPhoneが発表された時、そんな風に否定し、「スマートフォンは普及しない」という人々がいた。

言うまでもなく、どちらも間違っている。コンピュータはパーソナルコンピュータという形で世界に数限りなく拡散し、スマートフォンは誰もが使うものになった。物理的なテンキーのある電話の方がもはや少数派だ。

それまでの生活に存在していなかった要素が出てくると、多くの人は保守的に考える。実際、大半のものは生まれては消えていくものなので、それでもいいのだろう。だが時に、想像を遥かに超える形で普及し、生活に定着し、進化を続けるものもある。コンピュータとその進化系であるスマートフォンは、その最たるものであり、今日、あらゆる産業で使用されている。

一方、同じテクノロジーでもSFの中では常に描かれつつも、いまだ実現していないものも少なくない。二足歩行で人間をサポートしてくれるロボットはその代表である。描かれたSF作品をリストアップするまでもなかろう。そして、「人間と同等か、凌駕する能力を備えた汎用人工知能」もまた、いまだSFの中の存在と言える。

パーソナルコンピュータやスマートフォンの普及を正確に予測したSFはほとんどない。一部を言い当てたものはあっても、現在の我々の生活を言い当てることはできなかった。一方で、ヒューマノイドロボットの活躍はＳＦの中で多数描かれ、現実が追いついていない。これらの存在は「人間」をベースに考察して描いていくことが可能なので、より想像力を刺激しやすいのだろう。

だが、現在我々の目の前では、フィクションの中にしか存在しなかったものの一つであった「人間にかなり近い能力を備えた人工知能」が実現に近づきつつある。その特性は、ＳＦで描かれた汎用人工知能と同じではない。しかし、使った人の多くが「人工知能」すなわちＡＩという言葉で感じるイメージに近い文章や画像を生成していて、我々の生活を助けてくれる存在になっていくことを予感させる。

本書の中でも述べるが、ＡＩの進化は突然起こったものではない。だが、変化の可視化は急激に起きた。何十年にもわたる試行錯誤とコンピュータの性能向上がうまく噛み合い始め、２０２２年に入ると「文章から絵を描く」ＡＩが注目され、そして、人間並みの文章を生成する「ＣｈａｔＧＰＴ」が生まれた。

精緻な絵を描き、人間に近い精度で文章を作る「生成（ジェネレーティブ）ＡＩ」は、人間の想像を超える速度で進化してきたコンピュータの能力を最大限に活かすことではじめて実現された。いよいよ「人間が夢見てきたもの」が生まれる瞬間を見ているかに思える。想像しにくい事象と想像しやすい事象。この二つが絡み合っていることが、昨今の「生成ＡＩブーム」を巡る一つの特徴である。

生成ＡＩであるＣｈａｔＧＰＴは、文章で命令を与えれば使えること、生成されたものの簡明さなどを備えている一方で、回答に間違いが混在する理由は、技術的な部分を理解しなければならないため見えにくい。

生成ＡＩは現状「人間のように思考するＡＩ」ではない。しかし、人間より素早く、大量の文書や画像を生成し、我々の生活や働き方に否応なく影響を与えてくる。今後、生活や働き方をどう変化させていくのか？

生成ＡＩはなぜ生まれたのか？　人間とどう違うのか？　生成ＡＩがどのように生活や働き方を変え、結果的にどんな産業を生み出し、国家バランスまでも変えるのか？

多様な観点を考察するために、今起きていることを整理するところから始めてみよう。

なお、出典が明記されていない限り、関係者のコメントは著者の直接取材によるものである。

生成ＡＩの核心――「新しい知」といかに向き合うか　目次

第4章　生成AIに「させるべきこと」と「させてはいけないこと」

第1章　なぜ社会を変えるインパクトを持つのか

ChatGPTという「社会現象」

2022年11月30日、アメリカで一つのサービスが試験公開された。

そのサービスの名前は「ChatGPT」。サービスを提供したのはOpenAIという会社だ。今でこそ多くの人が注目する企業だが、当時はAIやITの先端領域ビジネスを追いかけている人くらいしか知らない会社だっただろう。だが、ChatGPTとOpenAIはその後急速に知名度を上げていく。サービス開始から2か月後の2023年1月には、利用者が1億人を超える。これはその後メタがSNSサービス「Threads」で利用者数の記録を更新するまで、過去のどのサービスよりも早いペースだった。

なぜChatGPTが注目されたのか？　今となっては皆さんもよくおわかりかもしれない。文章を入力すると、その内容や命令に合わせて、クオリティの高い文章で回答を返してくれるからだ。そして、その回答にさらに質問し、対話を続けていくことができる。

単に質問に答えるだけではなかった。箇条書きの内容から長い文章を完成させたり、命令からコンピュータ・プログラムを作ったりと、「人間が行えるようなこと」をこなしてくれるように見えた。

その姿は、多くのSF映画などで見た「人工知能」にも近い。

ここから、ＣｈａｔＧＰＴを中心とした「生成（ジェネレーティブ）ＡＩ」のブームは一気に加速する。新聞やネットのビジネス関連ニュースでは、毎日のように生成ＡＩという言葉が並び、ＣｈａｔＧＰＴはその代名詞となっていく。

このような状況を生み出したＣｈａｔＧＰＴについて、単にブームと呼ぶのはもはや矮小化し過ぎだろう。「社会現象」という表現の方がふさわしい。

生成ＡＩは文章の前に「絵」でブレイクした

ただし、生成ＡＩという言葉自体は、ＣｈａｔＧＰＴが登場する1年以上前から話題としては広がり始めていた。

そこでも発火点となったのはＯｐｅｎＡＩである。2021年1月、ＯｐｅｎＡＩは「ＤＡＬＬ－Ｅ」というサービスを発表した。これは、文章による命令で画像を生成するサービスだ。「草原の木のそばに立つ女性」といった文章を与えると、その内容に合わせた絵が生成される、というものだった。上手に絵を描くスキルを持っていない人も、命令文だけでクオリティの高い絵ができ上がるわけで、このことは大きな衝撃をもたらした。だが、DALL-Eだけでは、描ける絵の幅が狭かったことなどもあり、話題性は長続きしなかっただろう。

だが、2022年7月に「Midjourney」が公開されると、話題は一気に加熱する。より多彩でリアルな絵を、簡単な命令で描くことができたからだ。

さらに、同年8月、「Stable Diffusion」がオープンソース形式（誰でも自由に改良・再配布できる無償のソースコード）で公開されると、話題はさらに拡散していく。DALL-EやMidjourneyは開発情報を公開しておらず、絵を描くために必要なAIの学習の内容も過程も非公開だった。だが、Stable Diffusionはオープンソースとして、ソフトの部分も学習データも公開されていた。すなわち、そこから中身を改良・改変し、独自の「絵を描くAI」が開発可能になったのだ。

MidjourneyやStable Diffusionの登場・拡散により、「絵を描く生成AI」の存在は一気に広まった。絵を描くスキルを持っていない人でも上手に絵を描けるだけでなく、生成AI自体が「画風」に近いものを学習していくことで、特定の画家・イラストレーターの作品に近いテイストを持つ画像が生成可能になったからだ。

しかも、人間が手で描くよりも素早く、大量に作れる。いわゆる絵画・イラストだけでなく、写真のような画像も同様だ。

このことは、人間と創造物の関わり方を問い直させる、大きなきっかけとなる。その影響については、また後ほど詳しく述べることとしよう。

ここで重要なのは、いわゆるＣｈａｔＧＰＴをはじめとした生成ＡＩも、その前段階に「画像を生成するＡＩ」があったからこそ、さらに大きなインパクトを持ちえた、ということだ。

昔から、ＡＩを中心としたソフトウエアが人間の仕事や作業を代替してくれる、という考え方はあった。しかし、多くの人の目から見ると、「ＡＩといっても人間ほどのことはしてくれない」というイメージが強かったのではないだろうか？

ＡＩの技術的実像を正確に知る人は少ないだろうが、「ＡＩが人間の仕事を奪う」「人間が苦労してやってきたことをＡＩが奪う」というのは、やはりまだまだ現実的でない、未来に起こるかもしれない出来事だと思い込んでいた部分がある。

しかし、画像からより幅広い用途へと、生成ＡＩが広範囲に活用可能であることが見えてくると、「ＡＩが人間並の作業を行う」ことがもはや絵空事ではないことが、誰の目にも明らかになってきた。サービスを使ってみればその可能性は明白だった。

この変化にどう対応すればいいのか？

個人から企業、政治まで巻き込んだ議論が、一気に立ち上がることになった。

ＣｈａｔＧＰＴの革命は「ユーザーインターフェイス」にある

ＣｈａｔＧＰＴに代表される生成ＡＩは、俗に「チャットＡＩ」（対話型ＡＩ）と呼ばれる。どんな存在なのか？

技術的に言えば「大規模言語モデルを使ったＡＩを使うためのユーザーインターフェイス」である。

ＡＩ（人工知能）という言葉は非常に広範な概念を含む。第2章で詳しく解説するが、ここでは、生成ＡＩと呼ばれるものが、ＡＩ全体の一部を指す、ということだけ覚えておいてほしい。

あとで説明するように、生成ＡＩの背後には、「大規模言語モデル（ＬＬＭ）」という技術がある。そして、それを活用するためにチャットを使っていて、さらにチャットとＬＬＭの間に、「どう答えを作り、返答するのか」という処理系がある。

ＬＬＭを使った生成ＡＩは画期的な技術だが、さらに重要なことは、それを使うために「文章で命令を与える」という、きわめてシンプルな方法を採用したことが大きい。誰にでもできるやり方で、人間が行うような複雑な仕事をさせることができたのが、ＣｈａｔＧＰＴやＭｉｄｊｏｕｒｎｅｙなどを、社会現象といっていい状態に押し上げた要因である。

ＡＩ、という言葉から「知的」というイメージを持ちそうだが、生成ＡＩは知性ではなく、統計的な処理による文章や画像生成ツールに過ぎない。

生成ＡＩは、質問に答えてもらうために使われることが多いが、ネット検索ではない。その点についてはのちほど解説するが、ここでは「わかりやすさ」という点を考察するために、あえてネット検索と比較してみたい。

ネット検索では現状、単語で区切って質問したいことを入力する。「生成ＡＩ　仕組み」とか、「ふわふわなオムレツ　作り方　コツ」といったように検索するだろう。

一方、生成ＡＩでは一般的に、聞きたいことを文章で聞く。

望んだ回答が得られる質問を考えるのは意外と大変なことだ。特に「単語」だと、質問を考えてから「それを単語に分けて質問した場合、どういう形が適切か」を考えた上で、検索に使う単語を選んでいく必要がある。

しかし、文章でいいなら、質問を考えるのがもう少し楽になる。

実のところ、「文章で検索する」ことは珍しい行動ではない。日本では単語で検索する人が主流だが、欧米では文章で検索する人も増えている。

これは言語による違いも影響している。日本で「文章による検索」があまり使われてこなかったのは、そのことで検索精度が下がってしまうからだろう。例えば英語の場合、文章として書いても単語単位でスペースが入っており、従来通りの検索エンジンのままでも、さほど精度は下がらない。しかし日本語は「分かち書き」をしないため、入力された文章の意味を解析して単語を抽出する技術がないと、文章で快適な検索はできない。

さらに情報を精査していく作業もネット検索と生成ＡＩでは異なる。

従来はいったん検索結果を見て、そこからまた、検索キーワードを考え、満足のいく別の答えを探していく必要があった。

だがＣｈａｔＧＰＴなどでは、直前にチャットしていた内容をサービス側が覚えているので、その内容を踏まえて質問を重ねていく。「その部分をもう少し詳しく」とか「じゃあその点を別の方向から聞くとすれば」という風に煮詰めていける。

対話しつつ情報をまとめてくれる「アシスタント」としての姿が、従来のネット検索とは異なっている。情報が変わっているのではなく、そこへのアクセスの仕方や見せ方が変わっているわけで、まさに「ユーザーインターフェイスの革命」なのだ。

大規模化によって質的変化を起こしたＬＬＭ

こうした革命は、生成ＡＩが「文章を解釈し、それに従った内容を返す」という高い能力を備えていないと実現しなかったことでもある。それを実現させているのが、大規模言語モデル＝ＬＬＭ、ということになる。

生成ＡＩの代名詞であるＣｈａｔＧＰＴは、その名の通り、ＯｐｅｎＡＩの「ＧＰＴ」シリーズを使っている。

ＧＰＴとは「Generative Pre-trained Transformer」の略である。「トランスフォーマー」によって事前学習された生成型」と訳せばいいだろうか。ＬＬＭは大量の文章から学習を行う言語モデルだが、そこで使われているのが「トランスフォーマー」という構造だ。

トランスフォーマーは２０１７年に6月に発表された「Attention Is All You Need」という論文を基に広まっていった。この論文は、翻訳の効率を上げる手法についてのものだ。第2章でもう少し詳しく解説するが、ごく簡単に言えば、文中の単語の意味を理解するため、重要性を考慮して注目すべき単語を見つけ出す機構である。「次にどこに注目すべきか」を推論していく。翻訳はＡＩの基本的な用途の一つだが、その効率も飛躍的に向上した。

トランスフォーマーという手法が開発されたことによって、並列計算用の巨大なシステムさえ用意できれば、これまでよりも大量の情報から学習した、巨大なＬＬＭを作ることが可能になった。昨今のＬＬＭを使った処理が「賢くなった」と感じるのは、まさに規模の問題だ。ＬＬＭは、学習の規模が一定の〝しきい値〟を超えると突如高い能力を示すようになった。ＯｐｅｎＡＩのＬＬＭで言えば、２０２０年に開発された「ＧＰＴ－３」あたりで変化が顕著になり、２０２３年現在使われている「ＧＰＴ－４」は、さらに規模を拡大して「賢い」ＡＩになっている。

なお「Attention Is All You Need」論文の筆頭著者であるアシシュ・ヴァスワニは、この論文を書いた当時、グーグルのＡＩ部門「グーグル・ブレイン」に所属していた。だが２０２１年秋に同社を離れ、現在は他のＡＩ関連スタートアップ企業に所属している。すなわち、トランスフォーマーを使ったＬＬＭで、グーグルは他社より有利な地位にいたのだ。

グーグルは２０１８年、トランスフォーマーを使った自然言語処理モデル「ＢＥＲＴ(Bidirectional Encoder Representations from Transformers)」を発表している。翌19年10月には英語向け検索にＢＥＲＴを導入し、長い自然言語による検索精度アップに利用してきた。そして２０２３年には新たなＬＬＭである「ＰａＬＭ２」を導入した。

しかし、現在のトレンドであるチャットＡＩの世界を広げたのはＯｐｅｎＡＩだ。２０１８年にＧＰＴ－１が、２０１９年にはＧＰＴ－２が発表され、２０２２年11月に公開されたＣｈａｔＧＰＴでは、２０２２年に公開したＧＰＴ－３・５がまず使われ、その後、さらに進化したＧＰＴ－４が併用される形になった。

大規模化によって質的な変化を起こしたＬＬＭを使い、「チャット」というわかりやすいインターフェイスでのサービスを他社より「先に提供した」ことが、ＯｐｅｎＡＩにとって有利な状況を生んでいる。

よく「生成ＡＩでグーグルは出遅れた」と言われるが、その原因はこのようなところからも見えてくる。

ＬＬＭは言語の壁を越えた

もう一つ、ＣｈａｔＧＰＴなどに使われているＬＬＭには画期的だった点がある。それは「英語だけでなく日本語など、複数の言語で利用可能であった」こと。これは特に、日本人にとっては重要なことだ。

２０２２年夏、ＭｉｄｊｏｕｒｎｅｙやＳｔａｂｌｅ Ｄｉｆｆｕｓｉｏｎが盛り上がりつつあったものの、その広がりは「技術やイラストが気になる人」に限定されていた。なぜなら、プロンプトと呼ばれる命令として与える文章は基本的に英語だったからだ。英語が苦手な人は使いづらく、日本では速やかに一般化しなかった。

しかしChatGPTは違った。OpenAIが採用していたLLMであるGPT－3・5などは、日本語を理解するので、日本語で命令を与えることができたし、回答も日本語で返ってくる。それどころか、「回答を英語に翻訳してください」と書けば英語で書き直してくれるので、翻訳サービスのようなことまでできてしまう。

IT系サービスの多くは、利用者の多い英語圏からスタートする。だが、LLMを使ったサービスは言葉の壁を越えてきた。実際、ChatGPT後に出てきたIT大手による生成AIは、ほとんどが多言語でのサービスを実現している。これなら誰もが試せる。

国内翻訳サービス大手「みらい翻訳」CEO（最高経営責任者）でCTO（最高技術責任者）でもある鳥居大祐は「翻訳サービスを専門にしている側から見ても、汎用的なLLMで『言語の壁を越えてしまった』ことは驚き以外のなにものでもない」と話す。

翻訳AI、例えば英語と日本語の間で翻訳を行うAIは、膨大な量の英語と日本語の対訳を用意し、そこから学習することで翻訳を実現している。現在の翻訳AIは急激に精度を上げており、そのこと自体が大きな変化でもある。生成AIと翻訳AIには相違点があり、現在も翻訳ＡＩの方が精度は高い。

しかしそれでも、ＬＬＭが言語の壁を越え、多数の言語を扱えるようになったことは、極めて大きな意味を持つ。

また、ＬＬＭが言語の壁を越えたのは「結果」であって、意図したことではないようだ。ＬＬＭではインターネットにある大量の文書、公開された論文などから言葉を学習している。その中に英語以外の言葉を含む情報も多数あっただろう。「英語が中心であるが、そこに関係する別の言語の情報もあった」という状況が学習の過程に存在し、一定の量を超えたことで、結果として言語の壁を越えて命令に対応することができるようになった。

このようにＬＬＭの特徴は「規模が変化をもたらす」ことだ。言語の壁を越えたことは、規模の影響を示す極めて重要な事例であり、我々の生活にも直接的に関わっている。

OpenAIとマイクロソフトの協力関係

ＯｐｅｎＡＩはもともと非営利団体として２０１５年、現在の代表であるサム・アルトマンやイーロン・マスクの出資で設立された。その後イーロン・マスクは経営から離脱、独自のＡＩ開発企業を立ち上げる。

サム・アルトマンは１９８５年生まれ。ミズーリ州のセントルイスで育った。子どもの頃からコンピュータに親しみ、スタンフォード大学でコンピュータサイエンスを学んでいる。19歳であった２００５年に自身初のアプリ開発企業Ｌｏｏｐｔを設立、以降、主にテクノロジー企業への投資などで活躍してきた。

そんな彼がＯｐｅｎＡＩを設立した目的は、ＬＬＭを使って「汎用人工知能（Artificial General Intelligence、ＡＧＩ）」を作ることである。ＡＧＩとは、人間と同等以上の思考力・発想力を持ち、不特定の用途に対応できるＡＩのことを指す。ちゃんとした定義があるわけではなく、ＡＧＩという概念はぼんやりとしたものだ。だが、特に２０１０年代以降、ＡＩの進化が加速してきたことで、その実現可能性が模索されるようになってきた。

世界にはＡＧＩの開発を最終目的に置いた研究機関がいくつかある。グーグルの親会社・アルファベット傘下の「ディープマインド」もその一つ。２０１６年に人間のプロ囲碁棋士を初めて破ったＡＩ「アルファ碁」を開発したことで知られる。ＡＩ開発と現在の生成ＡＩ、ＡＧＩの関係は第2章で詳しく説明するが、要はＯｐｅｎＡＩも、ディープマイン

慶應義塾大学で学生を前に話すOpenAIのサム・アルトマンCEO（2023年6月12日）

ドのような「有望と言われる研究機関」の一つだったわけだ。

　同社が現在の形に変わってきたのは、2019年に営利部門である「OpenAI LP」が設立され、マイクロソフトから10億ドルの出資を得てからである。2022年7月には、絵を描くAIである「DALL-E2」を公開、11月にChatGPTを公開した。

　その後2023年1月には、マイクロソフトから、さらに100億ドルの出資を受けている。結果として、マイクロソフトは営利部門・ＯｐｅｎＡＩ ＬＰの株式の49％を取得する流れになった。

ＧＰＴのようなトランスフォーマーベースのＬＬＭは、運用と学習に巨大な並列演算システムを必要とする。現在、ＯｐｅｎＡＩのシステムはマイクロソフトのクラウドインフラである「Ａｚｕｒｅ」上で動いており、資金・システムの両面で、ＯｐｅｎＡＩはマイクロソフトに依存している。

そして、マイクロソフトがＯｐｅｎＡＩから技術供給を受けて提供しているのが「Ｂｉｎｇチャット検索」だ。その他にも「ウィンドウズ11」や「マイクロソフト３６５」など、マイクロソフトが提供する製品のほとんどに統合する計画を進めている。

「Ｂｉｎｇチャット検索」とはなにか

マイクロソフトの施策の中でも、特にインパクトが大きかったのが「Ｂｉｎｇチャット検索」の公開だった。マイクロソフトがＢｉｎｇチャット検索を公開したのは２０２３年2月7日（アメリカ時間）のこと。ＯｐｅｎＡＩがＣｈａｔＧＰＴを公開して２か月程度しか経っていない頃だ。しかもその間には、休暇などでビジネスが止まるクリスマスと年始の時期を挟んでいるから、実質的なタイムラグはもっと短い。

Ｂｉｎｇチャット検索は、ＯｐｅｎＡＩからＬＬＭであるＧＰＴ－４の供与を受けて作られている。だが、ＧＰＴ－４そのものではない。なぜなら、ＧＰＴ－４はＬＬＭであり検索エンジンではないからだ。

ＬＬＭは事前に学習した内容を基に回答する。ＧＰＴ－４の場合には２０２１年９月までの情報で学習されており、それ以降の情報は含まれない。なぜなら、ＬＬＭの学習には膨大な時間と演算能力が必要になるからだ。ネット検索と違い、ネットに掲載された情報がすぐに出てくることはない。ＧＰＴ－４の場合、「２０２１年９月」までの情報しか学習していないので、検索サービスのように使うことはできるが、回答として適切なものにはなりづらい。

一方、Ｂｉｎｇチャット検索は、事前学習ベースであるが故の言語能力に、別の仕組みを組み合わせて検索サービスを作り上げている。Ｂｉｎｇチャット検索にはＧＰＴ－４に、マイクロソフト独自のＡＩ技術である「プロメテウス（Prometheus）」を加えているのだ。

ごく簡単に言えば、Ｂｉｎｇチャット検索は「生成ＡＩが人間の代わりにネット検索を行い、答えを文章にまとめ直す」サービスである。

まずは入力された文章から「検索キーワード」を作り出す。そしてそれでネット検索をした上で、得られた情報をGPT－4が読み、文章にまとめ直す。だから従来のネット検索のように答えが羅列されるのではなく、生成AIと同じように文章で答えが出てくる。

前述のように、生成AIは学習した内容から回答を作る。だが、生成AIにやらせることを「学習した内容から回答を作る」のではなく「文章を再構成する能力を活かしてネット検索の文章をまとめ直す」ことに切り替えることで、生成AIに、本来は存在しない「ネット検索」能力を持たせているわけだ。このアプローチは、その後OpenAIやグーグルも採用することになる。

また、ChatGPTのような生成AIの欠点は「答えの根拠がどこにあるかわからない」ことにある。答えが正しいかどうかを判断するのは、結局人間である。それは、従来の検索であろうが、チャット検索であろうが変わらない。その際、正しさの根拠が示されていないと判断しようがない。

そこでBingチャット検索では、生成した文章の基になった情報・根拠をリンクの形で埋め込むことで、人に判断の材料を与えている。内容に、索引のようにリンクが付いているのだ。Ｂｉｎｇチャット検索が人間の代わりにネット検索し、情報を読んでまとめ直すからできることでもある。

Ｂｉｎｇチャット検索は発表後、登録者から順に利用者を増やすというテスト公開の形でスタートした。このテスト公開には48時間で１００万人以上が登録し、ＳＮＳ上には利用した人の感想があふれた。ＣｈａｔＧＰＴが話題になったのと同様に、マイクロソフトのサービスも大きな話題を集めることに成功したのだ。

日本への生成ＡＩ浸透にマイクロソフトの力

マイクロソフトとＯｐｅｎＡＩの連携は、現在の日本での生成ＡＩ導入に大きな影響をもたらした。

日本でもＣｈａｔＧＰＴがブームになって以降、多くの企業が続々とＣｈａｔＧＰＴベースの生成ＡＩを導入している。もちろん生成ＡＩには課題も多い。それについては第2章に譲るが、現状は「課題があっても使ってみる」という決断を下した企業が多い、ということでもある。

事例を挙げるだけでも、パナソニックやベネッセ、大和証券、三井住友フィナンシャルグループなど、ちょっと堅めのイメージがある大企業が多い。東京都、神奈川県横須賀市、長野県飯島町などの自治体まで、試験導入や導入検討などの段階にある。

こうした動きの背景には、ＯｐｅｎＡＩがサービス開発用のＡＰＩの利用ライセンスを有料で公開していることに加え、マイクロソフトがクラウドサービスの「Ａｚｕｒｅ」の中でＧＰＴ－４などを使えるようにしている、ということが大きい。

企業や自治体が使う場合、データの扱いには慎重さが求められる。入力したデータから機密が外部に漏れることを防ぐ必要があるし、学習内容についても、自社で必要な内容を加えて最適化していく必要がある。

そうした開発を進めるには、企業システムにすでに導入されている環境との連携が必要になる。その点においてマイクロソフトと連携していることは重要な意味を持つ。日本国内で長いビジネス経験があり、大企業や官公庁との関係も深いマイクロソフトが絡むことで、生成ＡＩを企業が導入しやすい条件が整うからである。マイクロソフトは自社の生成

ＡＩサービスについて、官公庁への正式な導入を目指し、２０２３年8月末を目処に日本政府が定めるセキュリティ評価制度「ＩＳＭＡＰ」への登録を予定しており、7月末の段階で、すでに監査なども通過している。

もちろん、グーグルやアマゾン、国内クラウドサービス企業なども生成ＡＩに取り組んでいるが、ＯｐｅｎＡＩと連携したスピード展開が奏功し、現状はマイクロソフトに有利な形で進んでいるのは間違いない。

この点も含め、マイクロソフトとＯｐｅｎＡＩの関係は極めて戦略的なものだ。マイクロソフトは早期から生成ＡＩの可能性を見抜いてＯｐｅｎＡＩに多額の投資を行ったわけだが、今のところ、その判断は正しかったと言えそうだ。

グーグルはなぜOpenAIにリードされたか

現在のトレンドをＯｐｅｎＡＩとマイクロソフトがリードしているのは疑いようがない。しかし前述のように、「トランスフォーマー技術によるＬＬＭ」自体を提唱したのはグーグルである。

ＯｐｅｎＡＩがＧＰＴを開発していたように、グーグルも同時期に複数の自然言語処理技術を開発している。その一つが前述の「ＢＥＲＴ」（２０１８年）であり、「ＬａＭＤＡ」（２０２１年）である。特にＬａＭＤＡは２０２１年５月の開発者会議で発表されており、ＧＰＴに近い能力と立ち位置にあった、とされている。

だがグーグルは、ＬａＭＤＡをＣｈａｔＧＰＴのような誰でも使えるサービスに組み込んで提供することをしなかった。その回答の正しさや安全性に対する評価の結果、「公開すべき段階ではない」と判断したから、と言われている。

結果としてだが、グーグルはＯｐｅｎＡＩに先を越される。

さらに皮肉なことがある。

２０２３年２月６日、グーグルは仏・パリで検索に関する発表会を開いた。そこで、ＬａＭＤＡの進化版を使ったチャットＡＩ「Ｂａｒｄ」を発表した。

しかし、このＢａｒｄはあまり話題にならなかった。翌日に発表された、マイクロソフトのＢｉｎｇチャット検索発表のニュースにかき消されてしまったのだ。

かき消された理由はシンプルである。グーグルはＢａｒｄを発表したにもかかわらず、

「慎重にテストを重ねてから公開する」として、多くの人が利用可能な形にしなかったからだ。

Ｂａｒｄが一般公開されるのは２０２３年3月のこと。アメリカ・イギリスなどの英語圏限定で公開されたのみで、日本で使えるようになったのは5月。40以上の言語に対応したのは7月に入ってからである。

Ｂａｒｄの完成度に問題があったからでは、との指摘もある。公開されたサービスを使う限り、回答の質や精度について、ＣｈａｔＧＰＴとＢａｒｄの間に違いがあるのは間違いない。ただ、ＣｈａｔＧＰＴにも課題は多数あり、回答の信頼性は常に変化している。どちらも日々変化・進化しているので、初期の状況で優劣を判断するのは難しい。

ただ、グーグルは明らかに、生成ＡＩによるチャットサービスの公開に躊躇しているように見えた。その結果として、スピード重視の戦略を採ったＯｐｅｎＡＩとマイクロソフトのタッグに先行を許した、ということだ。

筆者は、「生成ＡＩが生み出したユーザーインターフェイスの変化」には、おそらくまだ先があると考えている。スマートフォンやスマートスピーカーに検索エンジンとして組み込まれた時、もっと劇的な変化がやってくる。

現在も音声入力技術を使えば、文字入力によらずとも検索はできる。ただし、そこでキーワードを使うのはやはり不自然だ。もし、機械に話しかけるように検索ができるとしたらどうだろう？　実際、ＣｈａｔＧＰＴやＢｉｎｇチャット検索のスマートフォン版をインストールすれば、そうした使い方も可能になっている。

現在、生成ＡＩでの検索は、アプリを使わないとできない。わざわざそれをするのは、技術に興味がある人に限られる。しかしこの先、スマホＯＳの検索機能が生成ＡＩと連携するようになれば、話は変わってくるだろう。

生成ＡＩによるネット検索の変革が、スマートフォンに有効なのは明白だ。しかし、グーグルはそこに踏み込んではいない。

グーグル首脳の語る「生成ＡＩ戦略」

なぜグーグルはサービス公開を躊躇したのか？　生成ＡＩでＯｐｅｎＡＩに先行されている状況を、グーグル自身はどう考えているのか？

２０２３年５月、それをグーグルに確かめるチャンスがあった。年次開発者会議「グーグルＩ／Ｏ　２０２３」取材時に、グーグルのＣＥＯであるスンダー・ピチャイをはじめとしたエクゼクティブに対して、世界中から集まった記者たちが直接質問する機会が設けられたのだ。

「我々は生成ＡＩで、新しい時代に入る」

カリフォルニア州マウンテンビューで行われた開発者会議の基調講演で、ピチャイＣＥＯはそう宣言した。以前から「ＡＩファースト」戦略は掲げていたが、改めて生成ＡＩへの注力を宣言した形だ。

ただ前述のように、ネット検索への生成ＡＩの導入については、マイクロソフトがＢｉｎｇチャット検索で先行した。グーグルはＢａｒｄを提供したものの、これはあくまでチャットツールであり、検索技術ではない。ネット検索への生成ＡＩ導入は、２０２３年７月の段階では、「限定的なテスト」にとどまっており、一般公開はされていない。

なぜグーグルはマイクロソフトやＯｐｅｎＡＩの先行を許したのか？

この点について、ピチャイＣＥＯはそもそも「遅れている」という見方自体を否定した。

「グーグルはユーザーの課題を解決するため、ＡＩを長く開発してきた。この破壊的な技術を様々な場所で利用している。多くの基礎的な技術を構築し、ＡＩを前進させる一翼を担ってきた。（他社が）最初の１か月の成果だけで未来を決定づけた、という考え方もあるが、私はそのような考え方に同意しない。私たちはＡＩネイティブの企業として活動しており、最新のテクノロジーを使ってＡＩをより良いものにするために、会社中のすべてのチームが深く考えている最中だ」

グーグルが生成ＡＩの導入に時間をかけた理由については「ウェブ検索から生まれる広告のエコシステム（複数の企業によって構築された共通の収益環境）を崩しかねないので躊躇したからだ」という指摘もある。

ただ、ピチャイＣＥＯはその見方も否定する。

「過去にも我々の検索サービスは幾多の転換点があった。スマートフォンが現れた時も『ネット検索は減る』と言われたが、そうではなかった。重要なのはユーザーがなにをしようとしているのかを理解し、それに合わせて適切なものを提供すること。今回も同じだ。情報の質において最高レベルを目指し、正確さを追求している。そして、新しい技術が

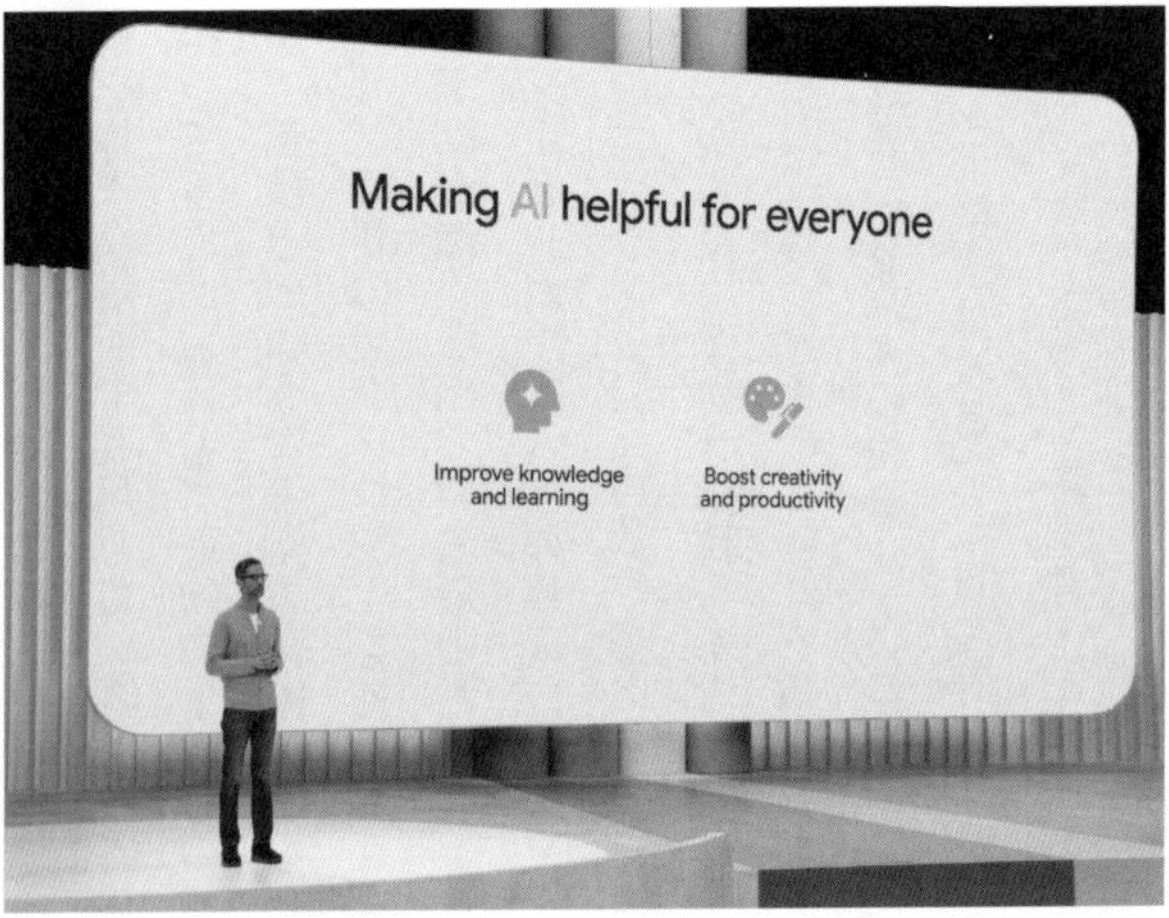

開発者会議でAIについて発表するグーグルのピチャイCEO（2023年5月10日）

ユーザー経験を向上させることがわかっている場合にのみ導入する。生成ＡＩによる検索を『Ｌａｂｓ（実験的機能）』としての提供にとどめている理由は、何百万人もの人に公開する前に、正確な検索ができる技術になっているかを確認するためだ。人々は、重要な判断が必要な瞬間に検索を使っている。だから、間違ったことをしてはいけない」

確かに「正しさに対しての慎重さ」は重要だ。特にグーグルは検索結果の引き起こす問題にずっと直面してきた。コロナ禍で間違った情報も多く出回るなかで、正しい医療情報を検索結果にどう出すか、ということはその好例である。もちろん我々も常識としては、検索で出てくるものは常に正しいわけではないことをよく知っている。しかし、急いでいる時や判断したくない時などには、目の前に出てくる回答をそのまま信じてしまいたくなる。特に知らないことについて聞いた場合は、出てきたものをより信じやすくなる。

生成AIは、常に正しい答えを出すわけではない。ネット検索以上に曖昧な存在だ。なぜそうなるのかは第2章で解説するが、正しさを担保し、安心して使えるものにならないと公開しづらい……とグーグルが考えたとしても不思議はない。

ChatGPTが急速に広がっているといっても、2023年7月の時点で、実際に毎日使っている人は限られている。大半の人々が生成AIを使った「新しい働き方」に移行するのはもっと先の話である。そのタイムラグを考えると、グーグルとしてはあえて保守的に動き、じっくりと取り組む……という考えになるのもわかる。

一方で急いだ部分もある。それが多国語対応だ。Bardは英語から対応したが、2023年5月には日本語と韓国語に「先行対応」した。7月には、40か国語以上に対応している。

日本語・韓国語への対応を先行した理由について、ピチャイCEOは次のように説明している。

「理由の一つは、それらが英語とは大きく異なった言語である、ということ。これらの言語に取り組むことで、私たちが（言語について）考えなければならない、幅広い領域について知ることができ、他の言語への対応が容易になる」

Bardは、初期にはLaMDAというLLMを使っていたものの、その後「PaLM」「PaLM2」と、LLM自体を切り替えている。2023年5月以降はPaLM2を使っている。PaLM2では、あえて英語以外のデータを大量に学習した。多国語対応が進んだのはそのためだ。その方針は、英語での精度が落ちるリスクをはらんでいたという。しかし結果的にだが、学習後には英語についても精度が向上しているという。

この辺は、グローバルなサービスの経験が多いグーグルならではで、ChatGPTが各国でどう浸透したかを分析してのことではないだろうか、と推測する。

なお、グーグルはPaLM2を経て、さらに改良された「ジェミナイ（Gemini）」を開発中だ。PaLM2及びジェミナイの開発はグーグルの社内チームである「グーグル・ブレイン」が担当している。しかしそこには、別組織であった「ディープマインド」の開発チームも合流している。今後両者は一体になり、ＡＧＩ（汎用人工知能）を目指して開発が進められていく。

生成ＡＩは「知的生産の技術」を問い直す

生成ＡＩは現在、情報を探すためのツールを超え、より広い用途に使われるツールへと変貌を遂げようとしている。これは一言で言うなら、「知的生産の技術を問い直す流れ」そのものでもある。

我々は過去、文書や情報を「白紙」の上に綴ってきた。これは紙の時代も、ＰＣ以降も変わりない。メールを書くにしろ企画書を書くにしろ、なにも書かれていない用紙が目の前にあって、そこに用件などの内容を書いていくのが基本だった。それを作るための情報整理が、ある意味「知的生産の技術」だ。

詳しい手法は第3章で解説するが、生成ＡＩの普及以降では、完全な白紙状態から書く必要は減っていくだろう。生成ＡＩにラフな内容を伝えると、そこからベースになるものが作られ、さらにそこへ人が手を加えることで完成させる……という流れになっていく。生成ＡＩが人をサポートし、コラボレーションしながら仕事をしていくことになる、という言い方もできるだろう。

一般的に業務では多数のデータが集まってくるが、その集計と可視化にはソフトウエアが必要だ。そうしたソフトの開発と活用こそが、俗に「デジタルトランスフォーメーション（ＤＸ）」と呼ばれるものの中核にある。それも、生成ＡＩの力でより容易に、短時間に、業務プロセスに導入可能になっていくだろう。

そのため、多くのＩＴ企業は、生成ＡＩを「コパイロット（副操縦士）」と呼んでいる。この方向性は、マイクロソフトもグーグルも変わらない。双方とも、ワープロや表計算ソフト、プレゼンテーションなどの「オフィスツール」や電子メールサービスを提供しているが、そこに生成ＡＩを組み込む。２０２３年中には、皆が日常当たり前のように使っているツール群に、生成ＡＩの機能が搭載されるようになっていくだろう。

もちろん、生成ＡＩを機能として搭載するのは大手だけではない。ビジネス向けのメモ・コラボレーションツールである「Ｎｏｔｉｏｎ」には、箇条書きから生成AIで内容を作っていく「Notion AI」がすでに搭載されている。

また、語学学習にも有用だ。語学学習サービス「Duolingo」では、有料の追加サービスとして、英語が母語でスペイン語やフランス語を学ぶ人々向けに、生成AIを使った「Duolingo Max」を提供している。2023年7月段階では日本語には未対応だが、検討が進んでいるという。

語学学習になぜ生成AIが有意義なのか? 同社で生成AI関連サービスのプロダクト・マネージャーを務めるエドウィン・ボッジは次のように話す。

「弊社サービスで言葉を学ぶ人々からは、『なぜ間違えたのか? それを知りたい』という要望が寄せられていた。答えが正しいのか間違っているのか、その理由やフォローアップの方法などを知ることで、『言葉の雑学』から抜け出すことができる」

また、生成AIが語学教師代わりに「学びたい言葉で話す相手」にもなる。学習が初期段階だと、人間を相手に話す場合「間違うと恥ずかしい」という感情がある。しかし相手が生成AIなら、恥ずかしがる理由はなくなる。

「操作性を最適化した生成AI」の時代

ＣｈａｔＧＰＴの革命は、ＬＬＭとしての賢さだけでなく「文章で命令を出す」ことを可能にするインターフェイスにある、と書いた。だが、ＣｈａｔＧＰＴはある意味、「むきだしのＬＬＭと会話する」ようなサービスだ。今後は、仕事の内容や作業に合わせて最適化された「生成ＡＩベースのサービス」の時代がやってこようとしている。

そんな「操作性を最適化した生成ＡＩ」の時代を感じるにあたっての好例が、アドビの画像編集ソフト「フォトショップ」の「生成塗りつぶし」機能だ。

アドビは２０２３年３月、独自の生成ＡＩである「ファイアフライ（Firefly）」を公開している。「生成塗りつぶし」も、ファイアフライを活用した機能である。

使い方は簡単だ。まず写真や画像を用意する。そして、加工したい部分を選択する。そうすると、下に「生成塗りつぶし」用の命令（プロンプト）を入力する部分があるので、被写体を追加したいなら言葉で入力するだけだ。例えば空だけの写真に鳥を飛ばしたいなら、「白い鳥」などと書けばいい。そうすると、元の写真の中に、命令を与えた内容が現れる。

不要な部分を消すだけならもっと簡単である。こちらは命令もいらない。例えば道路にある白線を選んで「消す」だけだ。風景に映り込んだ人を消すことや着ている服の色を変えることもできる。

シンプルに思えるが、画像合成や加工の機能としてかなり高度である。

生成ＡＩを使って絵を描くことはできるが、通常は「白紙から命令を与えて描かせる」必要がある。画像ファイルを渡してその内容を認識させ、そこから画像を作ることも可能になってきているが、それも「画像に似たもの」を作る程度だ。

しかしフォトショップの場合には、シンプルな命令だけでいい。アドビのＡＩ「アドビ・センセイ（Adobe Sensei）」が画像を分析し、さらに命令を生成ＡＩであるファイアフライが認識し、双方の情報を使って画像を生成するからだ。

生成ＡＩ自体がすでにすごい技術だが、そこに「誰でも使えるユーザーインターフェイス」を重ねることで、一般化していくことがわかる。

加速する世界でＡＩの助けを借りる

アドビはなぜ生成ＡＩを開発したのだろうか？

理由は三つある。

一つは、アーティストにとっても「面倒くさいことはある」ということ。アーティストなら、ゼロから絵を描くのも難しくない。だが、難しくないことと「楽である」ことはイコールではない。

例えば、イラストの背景に森を描きたいとする。森自体はさほど凝ったものではないとしても、背景画として結局、誰かが描かねばならない。

だとすれば、自分が描きたい要素に労力を集中させ、それ以外の部分は生成ＡＩに助けてもらいたくなる。

二つ目は「絵が思うように描けない」人にも絵や写真が必要な時がある、ということ。プレゼンテーションや説明用の文書に入れるため、クリップアート集やフォトストックを使う人も多いはず。だが、元々ある画像・映像だけでは、求めているイメージのものには足りないこともある。生成ＡＩがあれば、フォトストックを検索するような感覚で文章を入れて、自分が求めている画像を「用意してもらう」ことが可能になる。

三つ目は、そもそも「画像素材のニーズが爆発しつつある」ということだ。

アドビ・デジタルエクスペリエンス事業部門担当プレジデントのアニール・チャクラヴァーシーは、次のように話す。

「コンテンツへの需要は、過去2年間で2倍に増えた。しかし、次の2年間ではさらに5倍に増えるだろう」

戦略・プロダクトマーケティング担当ディレクターのハレシュ・クマールは次のような例でわかりやすく解説する。

「例えば、自動車会社が各地でキャンペーンをするとしよう。ニューヨーク向けに様々な素材を用意できても、他のすべての地域向けに合わせたものを作れるか、というとそうもいかない。しかし生成AIを使えば、ニューヨークで作ったものを基に、他の地域向けのものを用意することも可能だ」

これまでは、対象となる消費者の年齢層や居住地域、対象メディアが多様化しても、すべてに最適なコンテンツを用意するのは難しかった。地域性はその最たるもの。ロケや撮影の手間を思うと、代表的な地域で撮影するのがせいぜいだ。

しかし、生成AIによる生成・修正が可能になれば、コンテンツを用意する上での自由度は劇的に高まる。核になるものを人間が用意した上で、バリエーションを短時間に作っていくことで、「コンテンツ量の爆発」に対応することは可能になる。

一方で、「そこまでバリエーションを用意しなくても」と思うかもしれない。

確かに、人間がやるなら、明らかにコスト割れする無理なやり方だ。だが、もはやそれも必要な時代になってきた。

背景にあるのは、消費者が使うメディアの多様化とデジタルマーケティングによるスピードアップだ。

若者を中心にＴｉｋＴｏｋが人気であっても、フェイスブックやツイッター（現・Ｘ）が古典的なＳＮＳであり、今も利用者が多いことに変わりはない。テレビはネット接続が当たり前になり、放送と同じようにネット配信でも視聴されるようになった。

すなわちメディアの使われ方はそれだけ多様になり、それぞれに合わせた使い方がなされている。だとすると、広告用コンテンツも、それぞれに合わせたものが必要になる。内容を変えるのはもちろんだが、地味な作業としては、画像の縦横比やそれに合わせた文字のレイアウトなども変更が必要となる。だが、今は「そこまで手が回っていない」か、

「人間が無理してたくさんのデータを作っている」かのどちらかだろう。

あまり意識されないが、ネット広告では、「広告の掲載時間」や「その人が他にどんなサイトを見たか」といった情報によって、広告コンテンツを分けて出すのが当たり前になっている。今は素材の不足などもあって、最適化は中途半端な状況にある。しかし、生成AIの力を活かして素材生成速度を劇的に速めることができたなら、話は変わってくる。

スマートフォンの定着以降、我々の生活時間は本格的に細分化した。そして、PC・スマホ・タブレット・テレビに加え、交通広告やデジタルサイネージと、人々が接触するメディアも増えている。これだけのメディアに対し、時間や属人性を合わせて内容を変えていくには生成AIの利用が必須である。

生成AIの広告導入については、すでに日本にも実例がある。ネット広告大手のサイバーエージェントは、2023年5月より、自社が開発した生成AIを広告コピー生成に採用し、広告ターゲットに合わせて作り分けている。目的はコスト削減と、広告効果予測の精度アップだ。

我々はどんどん「素早い反応」を求められるようになっている。仕事の道具もメールからグループウェアへと変わり、情報はSNSでやってくる。加速する流れに人間の力だけで対応するのは無理があるが、かといって「スピードを落とす」ことも不可能に近い。

別にIT関連の高速化だけが問題ではない。人間はそもそも、他人に仕事を無茶振りしてしまいがちな生き物ではないだろうか。リアルタイムに動き、感情を刻々と変える「人間」に対応していくには、それを超えるスピードで対応し続けるしかない。「直接会う」ことが重視されてきたのは、結局、人間の即応力を活かすことが最大効率をもたらしたからではないか、とも思う。

だが、生成AIが人間のコパイロットでありサポーターになるなら、話は変わってくる。多忙な人々は、お金をかけて他人に頼ってきた。部下や執事といった存在は、コストを払って自分をサポートしてもらう存在と定義できる。

生成AIの登場とそのメリットとは、「助けてもらう」行為をデジタル化することでもある。そう考えると、生成AIの価値や可能性が、もうすこしシンプルでわかりやすく感じられるのではないだろうか。

第2章

生成ＡＩはどのようにして出現したのか

AIと生成AIの違い

本章では生成AIがどうやって生まれ、どういうメカニズムで動いているのか、AI開発の歴史を踏まえながら解説していく。

まず生成AIにはなにができて、どのような限界があるのか？

多くの人が知りたい疑問かと思う。一方、この疑問に対し正確に答えるのは難しい。

理由は二つある。

一つは、急速に変化していて、最新の「限界」を明示するのが難しいこと。そしてもう一つが、今のAIは「なぜその回答をしたのか」を100パーセント説明できるわけではない、という点だ。

前者はともかく、計算で動いているものが「説明できない」とはどういうことか、ピンと来ない人もいるだろう。だが、生成AIを安全に活用するためには、この特性を理解しておいた方がいい。

生成AIの回答には、多数の間違いが含まれることがある。なぜ間違いが含まれるのか、間違いを排除できないのはなぜなのか。これもまた「説明できない」という話に関

図1　AIの中における生成AIの位置づけ

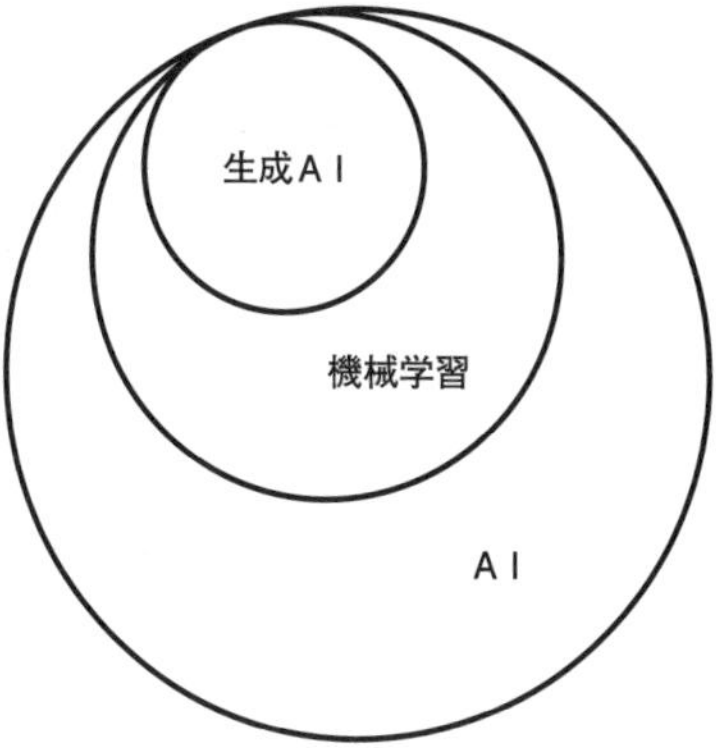

わってくる。

生成ＡＩはＡＩという大きな括りの中にある一種別であり、また、機械自身が学習した結果から答えを出す「機械学習」の一部に属する（図1）。

これまで以上に、実用性も高い「ＡＩの一つ」でありながら、その全容も可能性も摑みきれていない存在。若干矛盾するようだが、これこそが生成ＡＩの現状であり、重要な特性なのだ。

では、なぜそうなるのか？

それを知るには、少し遠回りとなるが、そもそも「ＡＩ」がどのような道筋で作られてきたのかを簡単に振り返るところから始めてみたい。

ＡＩとはどのような存在なのか

歴史の中には多数の「自動で動く機械」がある。機械式の時計や天球儀、機織り機などはあるルールに則って動き、答えやモノを生成する機械だ。

計算する機械の必要性が出てくると、そこから自然と「思考する機械」の発想も出てくる。要は今のコンピュータだが、近代的なコンピュータにつながるものが生まれたのは1940年代であり、その後すぐ、コンピュータで知能を再現する試みが始まる。いわゆる「人工知能（Artificial Intelligence、ＡＩ）」という言葉はこの時期から使われ始める。ＡＩはコンピュータの歴史とほぼ並走する形で進んでいく、と考えていい。

ＡＩにはいくつものアプローチがある。

重要なのは「記号学的アプローチ」という考え方だ。簡単に言えば、人間の脳がどう動いているかではなく、文字や数字を記号として扱い、そこからルールや統計的な手法によって知的な動作をさせよう、というやり方である。

例えばチェスをプレイするＡＩを作るなら、コマの動かし方などのルールに加え、どういう局面ではどう動かすのが有利なのか、ということを点数で表し、その中から、最も点が高くなるやり方を見つければいい。3本のエレベーターを賢く運用するには、各階を移動するための時間やエネルギー、人が多く降りるところなどをデータ化して、計算させればいい。

現在のコンピュータは2進数の計算と蓄積、条件分岐（条件に合っているか、合っていないかで処理を変える仕組み）で成り立っている。あらゆるルールは極論、このシンプルな構造に落とし込むことができる。チェスのプレイにしろエレベーターの制御にしろ、それを愚直に高速で計算していけば答えは出る。

言葉の処理も同様だ。ただし、ここでコンピュータは言葉の「意味」を理解する必要性はない。言葉を記号として統計的に扱い、計算で処理する。

我々が日常的に使っている「日本語入力システム」はそうした考え方から生まれた。「読み」に相当する単語が入力されると、統計処理された上で蓄積されたデータベース（日本語変換辞書）から「序列の一番上」にある言葉が出てくる。例えば「はれです」と入力すれば、「晴れ」を使う人が多いので、これが最初に出て、次に「腫れ」が出る……という感じだろうか。その際に精度を上げるため、「前に来る言葉がなにか」も加味して統計的に優位な言葉が出てくるようになっていたりする。

こうしたシステムは、もちろん、時代を経るごとに複雑化しており、現在はこんなにシンプルではない。とはいえ、言葉の意味を直接覚え込ませなくても、コンピュータが得意な「計算と記憶」というルールの組み合わせで、人間のような処理が可能であることが理解できると思う。

だが、このアプローチだけでは「人間的なソフトウエア」はできなかった。人間は常に明確なルールに則って行動しているわけではない。多数の例外やあやふやな判断を基にしていることも多く、そのような「明文化されていないもの」の処理がコンピュータは苦手だったからだ。

その後、コンピュータの性能が進化した１９８０年代から90年代に、第二次ＡＩブームがやってくる。

性能が向上したということは、より多くのデータを扱えるようになったということでもある。そこで登場したのが「エキスパートシステム」だ。これは簡単に言えば、医療やビジネスなど特定の領域について、エキスパートの持っている知見をとにかくデータ化し、記号的処理で引き出してやることで「エキスパートの知見を集約した存在」ができるのでは……という考え方から作られた。

だがこれも結局は、答えを一定のルールに従って引き出す「ルールベースのＡＩ」に過ぎず、明文化されていないものを見つけるのに向かない、という点ではなにも変わっていない。

人間の考えや求めているもの、画像の認識などを正確にルール化するのは難しい。例えば画像認識で「犬の写っている画像」を探すとしよう。そのためには「犬とはなにか」を定義してルール化しなければならない。

だが、子犬と大型犬で共通のルールはなにか、と問われて、その質問に漏れが出ない形でルールを明確に文章で示せる人はまずいない。しかし「犬」を理解している人間は、言葉ではルールを説明できなくても、ちゃんとどちらも「犬」と認識する。

１９８０年代から自動翻訳の技術はあったのだが、その中身は辞書で単語の意味をひいてつなげていくようなものに近かった。「言葉の意味」や「文章の用例」というルールに従うならそのような作り方になるのだが、それでは人間のような翻訳はできなかった。

このような難しさがあり、AI研究は派生物を生みつつも、大きな成果をあげられずに来ていた。

機械学習とニューラルネットワーク

AIがなにかを判断するにはルールが必要だ。この点は今も昔も変わらない。ただし、AIが判断するためのルールをすべて人間が指定するのではなく、一定のやり方で自動的にルールが決まっていく方法があれば、手間の点でも自由度の点でも有利になる。

このような、ソフトウエア自体がルールを定めて学習し、自動的に精度を上げていく仕組みのことを「機械学習」と呼ぶ。現在注目されているAIは、ほとんどが機械学習を採用している。もちろん生成AIも例外ではない。

機械学習が有効になってきたのは、コンピュータが急速に性能を増したためだ。特に1980年代以降は、人間の手でルールを決めるより、コンピュータ自身にルールを決めさせ、自分が使う学習データを改良させていく方が効率は良かった。

もちろんそのためには、ある意味で「種」になる、目的にあった学習データを用意する必要がある。また、何のためのＡＩを作るのか、明確な目的がなければ学習させるのも難しい。例えば、みかんの中に混ざったりんごを見分けるのは簡単だし、変色したみかんを見つけるのも難しくはない。一方で、どこまで変色していたらダメなのか、という情報を与えておく必要がある、ということだ。

逆に言えば、シンプルな情報を与えただけでは効果が出ないことも多い。先ほど提示した「犬とはなにか」という例は典型的なものだ。大量に犬の情報を与えたとしても、写真のアングルが違っていて顔や尾が写っていない場合、判断できるとは限らない。でも人間は「きっと犬だろう」と判断することができる。

機械学習をいかに効率化し、人間のように答えられるようにするか。それを多くの研究者が求め続けた。

そこで注目されたのが、２０１２年に登場する「ディープラーニング（深層学習）」である。

ディープラーニングは、ニューラルネットワークと呼ばれる手法の一つだが、ニューラルネットワーク自体の歴史は古い。

図2　脳の神経細胞のつながり

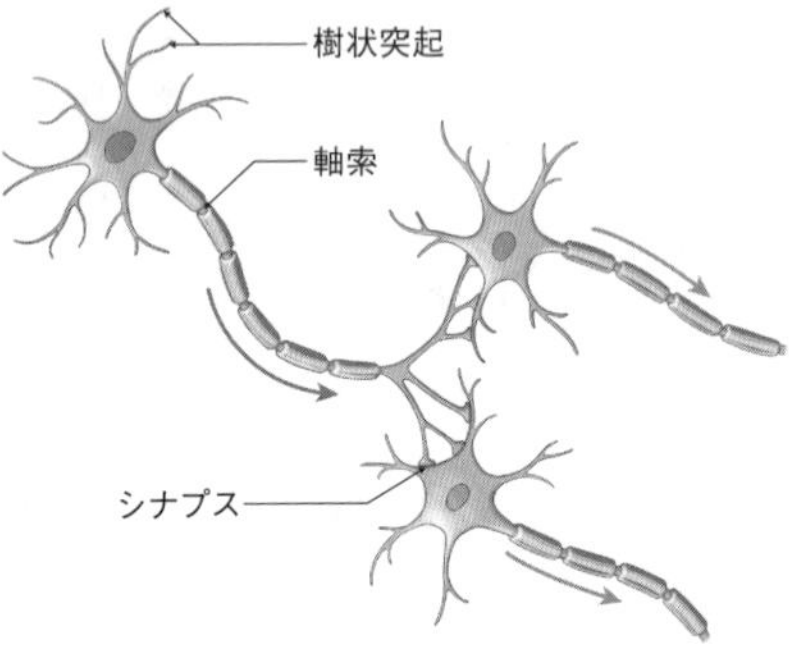

1940年代にコンピュータが生まれると同時に、一つの考え方が生まれた。脳内の神経回路を模して「入力された情報を覚え、処理して答えへと変換する」数理モデルだ。これが「ニューラルネットワーク」である。

我々の脳内には「シナプス」(図2)と呼ばれる接合部位がある。シナプスはニューロン(神経細胞)を相互接続するものだが、このつながっている、という構造は電気回路に近い。だが電気回路と大きく違うのは、シナプスが変化し、情報の伝わりやすさを逐次変化させている、ということだ。新しい経験をするとシナプスのつながりが太くなり、記憶が蓄えられる。このつながりの強弱により、脳内ではニューロンが絡み合い、神経回路が作られ、複雑なネットワーク構造を形成している。

人間は化学物質と電気でこのネットワークを維持し、記憶を維持＝学習し、思考を維持している。では、化学物質ではなく数学的なモデルを作り、それによって脳のような処理ができるのではないか？

簡単に言えば、これがニューラルネットワークだ。

ただし、初期にはコンピュータの能力が低いのが課題であった。人間の大脳には140億個のニューロンがあると言われている。その相互接続が生み出すものを再現するには、相応に性能が高いコンピュータが必要になる。そしてごく最近まで、どのくらい複雑なネットワークを構成できれば「人間的」になっていくのか、予測すらできていなかった。だから、第一次・第二次ＡＩブームの頃にはニューラルネットワークを本格的に使ったＡＩを構築するのは不可能に近く、注目は知識ベースのアプローチに集中していた。

だが、ニューラルネットワークを研究している人々の間では、研究の初期段階ですでに「無限の演算能力を使えるなら、はるかに賢いＡＩが作れる」ことはわかっていたのだという。だが、無限の演算力を持つコンピュータを作ることは不可能だ。1990年代には、「未来のどこかで、人間に近いＡＩができるだろう」と予測されていたものの、それがいつ、どのように起きるかを明言できた人々はいなかった。

もう答えはおわかりかと思うが、この10年ほどでニューラルネットワークを使ったＡＩが本当に使えるものになってきたことが、現在の生成ＡＩブームにつながっている。

なお、ニューラルネットワークは「脳を模したもの」と説明されることも多い。ニューラルネットワークは確かに、脳の構造にヒントを得たモデルではある。だが今の技術は現コンピュータで処理するのに適した構造に大きく変化しているので、実際のところ「脳を再現している」わけではない。

ディープラーニングが世界を変える

ディープラーニングとは、高性能なコンピュータの存在を前提に、層の多い（深い＝ディープな）ニューラルネットワークで学習し、結果を得るための手法である（図3）。１９８０年代のニューラルネットワークは数層までがせいぜいだったが、現在のもの、例えばＧＰＴ－３では96層になっている。

図3　ニューラルネットワークの仕組み

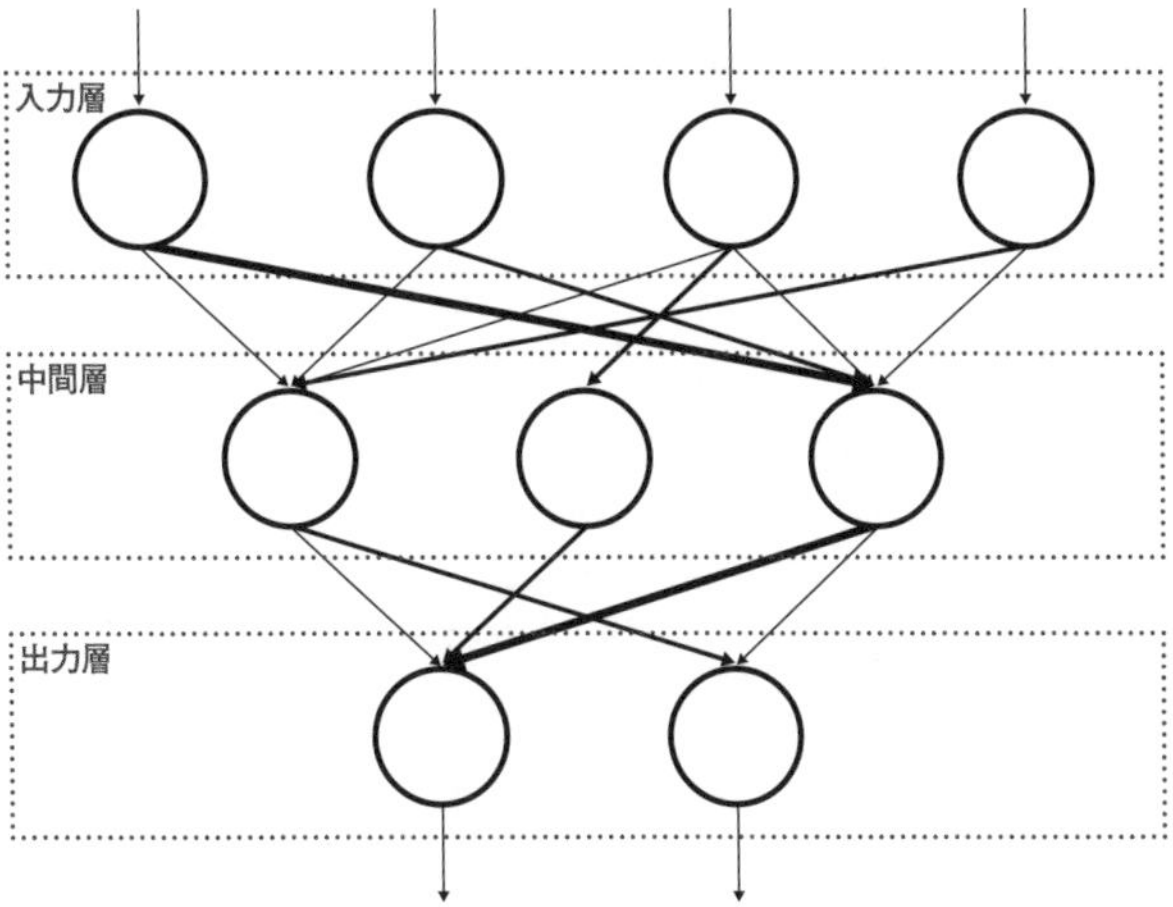

ニューラルネットワークの多層化傾向は１９８０年代にはすでにあったものの、大量に学習しても精度が上がらなかったこと、そして、そもそも大量の演算をするにはコンピュータの性能が足りなかったことから、すぐに下火になっていた。

だが２０１２年、認識が大きく覆《くつがえ》る。画像認識の精度を競う「ＩＬＳＶＲＣ」というコンテストで、計算機学者のジェフリー・ヒントンが率いるトロント大学研究チームが開発した「ＡｌｅｘＮｅｔ」というソフトウエアが優勝したからだ。

このコンテストは、画像を認識してそれがなにかを当てる、というもの。２位チームのエラー率は26・2パーセントだったという。それに対してＡｌｅｘＮｅｔのエラー率は15・3パーセント。いきなり10パーセント以上も精度を上げてきた。

他のチームが使っていたのは、対象の画像と他の画像の特徴がどれだけ一致しているのか、という点に着目した手法だ。この場合は特徴の違いを抽出する仕組みが重要である。そこで人間がいかに有効な仕組みを設計できるかがポイントになっていた。

だがＡｌｅｘＮｅｔは、人間が特徴を見つけるルール作りには関与しなかった。機械学習であるニューラルネットワークを多層化し、機械側が特徴を見つけ出して「学習」して回答を出す方が有利、と考えたからだ。事実それは正しく、８層の「深い」ニューラルネットワークで構築されたＡｌｅｘＮｅｔは、圧倒的な精度を見せつけたのである。

ここから一気に、画像認識の世界は「ディープラーニング」にシフトしていく。エラー率はすぐに10％を切り、画像を見せればそれが「犬である」と、人間と同じように認識できるようになった。

そこから学習の過程やデータを変え、別のものを検出するようにすることもできた。人間の顔を認識し、そこから「それが男性か女性か」「何歳くらいの人物か」を見分けられるようになっている。

ＡｌｅｘＮｅｔ自体が最強であったのは２０１２年で終わり、すぐに他のソフトウエアが台頭してくるが、すべての技術トレンドはここから一気にディープラーニングへと切り替わっていく。

２０１６年10月、マイクロソフトは、英語音声の聞き取りに関し、ＡＩの精度が人間並みに到達した、という論文を発表した。現在の「Ａｌｅｘａ（アマゾン）」や「Ｓｉｒｉ（アップル）」、グーグル・アシスタントといった音声アシスタント技術も、ディープラーニングをベースに作られている。

今もＡＩには、ルールベースで動いているものが多数ある。だが、昨今のニュースで出てくるＡＩのほとんどは、ディープラーニング技術を基にしたものだ。過去にはルールベースであったＡＩも、ディープラーニングをベースにしたものに作り替えることで、より価値を高めている。

グーグルの人工知能開発部門「ディープマインド」が開発した囲碁ソフト「アルファ碁」は、２０１６年３月、世界王者経験のある韓国のイ・セドルを４勝１敗で下した。アルファ碁はルールベースのＡＩでなく、ディープラーニングで作られている。当初は人間から学習していたが、一定の強さになると、あとは自ら対局を継続することで学習を続けた。結果として、過去人間があまり指さなかった手を使い、勝利を収めた。囲碁・将棋など、ルールが複雑な競技では、ルールベースＡＩの時代には人間に勝利するのが難しかったのだが、ディープラーニングはその状況を覆した。

このことは研究者のみならず、一般にも大きなインパクトを与え、ＡＩが新世代に入ったことを認識させた。

言語翻訳も、ディープラーニングで一変した。

翻訳サービスとして使われている「グーグル翻訳」は、２００６年にスタート後、次第に対応言語を増やしつつ利用者を拡大してきた。だが、初期にはそこまで精度が高かったわけではない。

それが大きく変わるのは、２０１６年に翻訳エンジンをディープラーニングベースのものに変えてからである。単語単位で意味を翻訳してつなげるのではなく、文章全体で翻訳をするようになり、精度が上がった。

現在、国内ではグーグル翻訳に加え、第1章でも紹介した「みらい翻訳」の他、ドイツの「ＤｅｅｐＬ」などが人気だが、どれもディープラーニングを使っている。大量の対訳文を学習し、自然な翻訳文を返せるようになってきている。

大切なのは「アテンション」

ここまで解説してきたのは「ＡＩ」だ。

では、ＡＩと生成ＡＩはどう違うのだろうか?

極論すると「たいして違わない」。

ただもちろん、構造が異なる部分はある。そしてその構造の違いこそ、生成ＡＩの特別な部分である。

現在は、基本的な仕組みがディープラーニングである、ということに違いはない。ただし用途によって学習方法などは異なる。

例えば画像や音声の認識では、学習の基になる大量の画像や音声データに、「それはなにか」を人間が教え、そこから学習している。人間が教師になる「教師あり学習」だ。前出のＡｌｅｘＮｅｔが学習に使った学習データの場合、10万枚の画像に人海戦術で「教師タグ」をつけて学習させたのだという。ルールを人間が作るわけではないが、ルールを作るために必要な教師役は人間がやったわけだ。そこからはソフトウエアが明文化されていないルールを作り出し、正確な認識を行っている。

一方で、教師を使わない「教師なし学習」もある。また、実際に行ってみた結果に点数をつけ、そこから学んでいくやり方もある。自動車の自動運転などに使われるのは、自ら学ぶ「強化学習」と呼ばれる手法である。

ただ、完全な教師なし学習でできることは限られていて、結局は核になる教師データはあった方が良い。大手ＩＴ企業にとって、お金をかけて収集した上でタグ付けした「教師データ」はお宝そのものだ。音声認識や翻訳サービスが無料で提供されるのは、学習のために必要な用例データを集めるのに都合がいいから……という部分もある。

だがそこまでやっても、いわゆる生成ＡＩが登場するまでは、ＡＩができるのは「短い文章を作る」ことくらいだった。画像認識や音声認識に有用な仕組みではあったが、長い文章を作らせると破綻しやすかったのだ。

図4　単語は確率的に選ばれる

夏の　炎天下　では　熱射病　に

注　意	15%
用　心	8%
な　る	7%
ならない	2%

➡ 夏の　炎天下　では　熱射病　に　**注意**

そこで出てくるのが「生成ＡＩ」である。

生成ＡＩを実現する上で重要なのが、第1章でも出てきた「トランスフォーマー」という手法である。

これはすごく簡単に言えば、「単語の順序を見て、出力した時に一番関連している（アテンションが高い）のはどの組み合わせか」に着目する仕組みだ。

さらに簡単に言えば「次に出てくる単語はどれが自然か」を、ランク付けされた確率に則って並べていく仕組み、ということになる。

ここで図4を見ていただきたい。

文章の最後に来る単語としてはどれがいいか、各単語に「確率（％）」が併記されている。この中で、確率的にこれがよかろう、という単語を選んでいる……と考えればいいわけだ（なお、図4は一例であって、ここで示す確率で常に処理されているわけではない、という点にご留意を）。

要は「関連している・注目すべきところ」にフォーカスし、ディープラーニング処理をその部分（最後の文章化に近いところ）に集中しているのが、生成ＡＩの特徴である。

これは先に述べた「記号学的アプローチ」そのものだ。文章の意味を理解しているわけでも、次に来るものの意味を考えているわけでもない。あくまで記号的に扱い、「今までに学習した内容から考えると、次にこの単語・文章が来るのが望ましいようだ」と逐次処理しているに過ぎない。

もちろんこの処理とて簡単なことではない。図4で示した例は大幅にシンプルにしているが、実際にやっているのは「この段落の最初からここまでの流れを見て次の単語を選ぶ」ようなもので、単純な統計やパターンマッチングで出てくるようなものではない。

第1章で、生成ＡＩで使う「トランスフォーマー」技術登場の契機になった論文を紹介した。タイトルは「Attention Is All You Need（必要なのはアテンションだけ）」。どこに着目するか、そのためにはどのような構造であればよいかを解説した論文が、この「Attention Is All You Need」だったのである。

なお、現在の生成ＡＩでは、常に確率＝ランクが高い言葉だけを選んでいるわけではない。文章を作る上では「ゆらぎ」があった方がそれらしくなるため、学習結果から選び方に補正が加わり、時々「そこまで最適でない」言葉も出てくる。だから、型からは少しズレた、人間っぽい文章ができ上がる。生成ＡＩを使った場合、でき上がる文章は毎回少しずつ違う。それはこの「ゆらぎ」が影響しているためだ。

大規模言語モデル（ＬＬＭ）の時代へ

トランスフォーマー技術の登場によって、すぐに生成ＡＩが生まれたわけではない。「Attention Is All You Need」の論文は２０１７年に発表されているが、生成ＡＩのブレイクには3年ほど時間がかかった。

２０１９年に登場した「ＧＰＴ－２」までは驚くような賢さが生まれたわけではない。しかし、２０２０年に作られた「ＧＰＴ－３」は、そこから劇的な進化を遂げる。ＧＰＴ－３になって一気にクオリティが上がり、人間が書いたと見紛うような文章を作り始めたのだ。

主な変化点は一つ。機械学習モデルの設定値や制限値であるパラメータの数だ。GPT－2では約15億だったものが、GPT－3では約1750億に増える。100倍以上多くなったわけだ。

すると、そこから生成される文章の質が見違えるほど変化したのだが、この急激な変化に多くの人が驚いた。

なぜここまで大きく回答の質が変わったのか、はっきりとした根拠はない。わかっているのは、パラメータの数がどこかでクリティカルな値を超え、人間が読むと「知的な文章である」と勘違いするレベルに到達した、という事実だけだ。

このパラメータ数の巨大さゆえに、生成AIの核となる技術は「大規模言語モデル＝LLM（Large Language Model）」と呼ばれている。日本を含む世界中で生成AIの開発が進んでいるが、どれも基本的には、大量のデータから学習し、巨大なパラメータを持つ「LLM」となっている。

すなわち生成AIは、LLMを学習させ、答えを出す手法（ロジック）と、LLMの学習に使うための情報（データ）、そしてでき上がったLLM（モデル）の組み合わせである、と見なすことができる。

ここで重要なのは、トランスフォーマーという仕組みが、今の高速なコンピュータの構造に向いたものだった、という点だ。

トランスフォーマー登場以前には、言語処理には「リカレント・ニューラル・ネットワーク（RNN）」という仕組みが多く使われていた。詳細な説明は省くが、RNNは言葉を順に処理していく仕組みに近い。人気の店の前に一列の長い列ができていて、それを順番に店へと案内しているイメージだ。

だが、今のコンピュータの高速化は「一列を素早く処理する」形式ではない。その方式で高速化するのは限界があるので「並列処理」が基本だ。大きなテーマパークには大量の人がやってくるが、何列もの列を作って並列に人々を導くことで素早く処理している。これと同じように、今や1台のPCやスマートフォンの中でも複数の処理が並列動作しているし、いわゆるスーパーコンピュータでは、数十の処理が並列に動くプロセッサーを、さらに数百・数千と集めて高速化している。

ただそうなると、ソフトウエアのロジックが並列での処理に向いたものでないと、実際の処理速度が上がりづらい。

トランスフォーマーは、RNNに比べて並列化処理に向いていた。ということは、巨大なデータを使って学習させ、「大規模な」言語モデルを作りやすくなる……ということだったのだ。

RNNの時代には短い文章しか処理できなかったが、トランスフォーマーになってその制約は緩くなった。文章のつながりもより自然になる。そして、その結果として、本当に巨大なLLMを作ろうという試みがなされ、GPT-3での質的変化につながったのである。

もう一つ大きな点として、ディープラーニングの導入以降、演算を高速化するものとして「GPU」の重要性が増したことも大きい。

GPUとはGraphics Processing Unitの略で「画像処理装置」などと訳されることが多い。初期にはウィンドウの描画から始まり、その後ゲームなどで多用される「3DCG」のリアルタイム処理を高速化するために性能を上げてきた専用のプロセッサーだ。PCはもちろん、ゲーム機やスマートフォン、テレビ、自動車などにまで広く使われている。

もともとはCG向けの技術だが、CGで必要な処理の大半は行列の計算であり、さらにこれを分解すると大量の足し算や掛け算となる。つまり、それらを「並列に高速に処理する」ことに特化したのがGPU、という言い方もできる。

ディープラーニングの力を世に示したAlexNetもGPUに計算をさせていた。ディープラーニングの用途が増えていくとGPUのニーズもどんどん増えていく。トランスフォーマーはさらに並列処理が必要になり、処理量も増えるのでGPUへの依存度が高まる……という構造になっている。

結果として、ディープラーニングや生成AIの開発をする技術者は高性能なGPUを搭載したPCを使うようになったし、LLMの開発を行う企業などでは、高性能GPUの確保が課題になっている。そのためGPU製造でトップシェアの半導体企業NVIDIA(エヌビディア)は、AI専業でないにも関わらず、大きな注目を集める企業になった。

若干話がズレたようだが、要は、コンピュータ自体の技術トレンドと歩調を合わせる形で「大規模化が可能になった」結果、想像以上の変化が起きて今に至っているのである。

ただし2023年現在の生成AIは、本一冊をまるごと書いてしまうような巨大な処理には向いていない。たくさんの単語の連なりから文章を作るといっても、作れる文章の長さには制限があり、長いほど処理に時間がかかり、正確さも落ちる。場合によっては動かなくなる。

一度にどのくらいの長さの文章を処理できるかは、生成AIの種類や扱う言語などによって変わってくるので、一概に「何文字まで」と言えるものではない。だが、一般に2000文字から3000文字を一度に扱うのがせいぜいで、筆者の経験上、品質や速度を維持できるのは千数百文字まで、といったところだろうか。

人間の場合でも、書籍一冊（約10万字）をすべて頭に入れて休まず一気に書き上げるのは無理であり、数千文字くらいの単位に区切って考えている。とはいえそれでも、今の生成AIよりは長い文章を頭に入れつつ続きを作れる。また「前に書いた文章」を踏まえてさらに続きを書いていく能力もある。

だが、生成AIに長い文章をうまく書かせるには、「長い文章を書くための仕組み」として、前の文章を覚えておく機構などが必要になってくる。

生成AIはいろいろなことに答えられるし、いろいろなデータも作れる。しかしそれは、LLMの性能をそのまま使っているだけに過ぎず、特定の目的のために枠組みを設けたり、チューニングを施したりしたものは、ようやく作られ始めたところだ。

人工知能の研究者であり、ソニーグループのCTO（最高技術責任者）でもある北野宏明は、現在の生成AIを「エンジンだけの自動車」に例える。LLMという核になるパワフルな機構はできたものの、仕事や文書生成、人との対話といった「人と接する部分」＝自動車のボディのような存在は、様々な企業が開発を続けているところなのだ。

そして、そんな「ボディ」の中で一番わかりやすく、多くの人に受け入れられたのが、OpenAIのGPTシリーズということになるだろう。

「その答えである理由」がわからない

生成AIをはじめとしたディープラーニングには、他にもやっかいな特性がある。それは「なぜその回答が出たかを正確に説明しづらい」ということだ。

ニューラルネットワークは、前掲した図3のような、◯（ノードと呼ばれるもの）からそれぞれ線がつながった構造になっている。線の太さは違うが、これは俗に「重み」もしくは「パラメータ」と呼ばれるもの。入力された情報が重みに従い、結果が変わっていく。

我々の目に見えるのは最初の「入力」と最後の「出力」だと思っていただきたい。図のように、入力層と出力層の間には「中間層」（もしくは「隠れ層」）がある。入力層に数値を入れ、中間層を通って出力層にたどり着く。その際に「重み」の違いによって数値が変わり、回答が出る。

図3のモデルは中間層が1枚だからシンプルだ。しかし、実際には多数の中間層を持つことで複雑な回答を実現する。パラメータの数は軽く数億を超え、生成ＡＩでは数百億単位になってきた。大量のパラメータの中で、実際に答えに関与するものは少数であることはわかっているが、どこがどう関与しているのか、もはや人間では把握することができない。

層が多くなると、どこが関与しているかはわかったとしても、そこがなにを意味しているかが見えづらくなる。例えば画像認識の場合、層を経るたびに画像の中身は抽象化され、それがなにを示しているのか理解できなくなる。そして最後に結果だけが出てくる。

だから、結果は出てくるのだが、厳密に「なぜこの結果が出てきたのか」を説明するのが難しいのである。

これは良いことではない。そのため、いろいろな工夫を加えることによって「結果が出てきた理由」「結果が生まれる過程」を可視化しようという試みはある。これを「説明可能ＡＩ」などと呼んだりもする。説明可能ＡＩを作ることは、ＡＩにとって大きな課題ではあるが、２０２３年現在、まだ完全な解決策が見つかってはいない。

生成ＡＩは「正解」「解答」を出さない

ディープラーニングを使ったＡＩに課題があるように、生成ＡＩにも、そこから派生する大きな課題がある。時折「正しくない情報を出す」ということだ。

生成ＡＩは何でも答えてくれる存在ではない。多くの制約が存在する。

最初の制約は「学習したものからでないと、間違った答えが出やすくなる」ということだ。

そもそもＬＬＭは「学習して作られる」ものだ。例えばＧＰＴ－４の場合には２０２１年９月までの情報で学習が行われており、それ以降の情報はＬＬＭの中にはない。

生成ＡＩはあくまで文章を「いい感じに並べていく」存在なので、質問の意味を理解しているわけでも、正解を知っているわけでもない。

本書の中では、生成ＡＩの作る文章を「解答」ではなく「回答」と表記していることに気づいただろうか。生成ＡＩの出すものは正解でも解決策でもなく、文字通り「返ってきた答え」に過ぎない。

大量の学習を行っていると、その中から妥当と思われる回答が出てくることもある。そしてもちろん、妥当でない内容を返してくることもある。

特に学習していない情報の場合も、生成ＡＩは「正解」を知っているわけではないし、判断もしていない。ＬＬＭの中に学習された内容から「文章の流れに合ったものを作る」ので、正しくない答えが出てきやすい。

学習済みの範囲であったとしても、情報が少ない場合、本来は関連しないところから情報を持ってきて、生成ＡＩはなめらかな文章を組み立ててしまったりする。なめらかで自然に読める文章であるがゆえに、読む側は間違った内容でも「正しい」と思い込んで読み飛ばしてしまうことも起こりうる。

生成ＡＩは計算が苦手

学習とは関わらない部分であてにならないところもある。

実は生成ＡＩは、計算や論理的思考も苦手だ。

こんな質問を、ＣｈａｔＧＰＴとＢｉｎｇチャット検索、Ｂａｒｄにしてみた。

「２０２３年７月26日午後９時（日本時間）が、アメリカ太平洋時間では何日の何時になるかを教えてください」

正解は「７月26日午前５時」。日本とアメリカ太平洋時間の時差は17時間だが、７月はアメリカの場合「夏時間」が導入されているので１時間遅くなり、16時間の時差で計算する。だから「26日の午前５時」ということになる。

だが、ＣｈａｔＧＰＴ（ＧＰＴ‐４利用）は夏時間を計算に入れられず「26日午前４時」と答えた。Ｂｉｎｇチャット検索は「25日午前２時27分」と完全な間違い。Ｂａｒｄは「25日午前６時」で、これまた不正解だ。どれも付記された説明では「時差は16時間」と正しく答えているのに、単純に16時間引いて答えるのではなく、間違った値を出してしまっている。

こうなった理由は、生成ＡＩが計算をしているのではなく、「学習した内容からそれっぽい文章を作っているだけ」だからだ。

人は「ＡＩ」「コンピュータ」というと、論理的で計算が得意だと思いがちだ。だが、ディープラーニングで作られたＡＩ、特に生成ＡＩは現状、人間のようには考えていないため、簡単な問題を間違えてしまうのである。

なお、このテストは２０２３年７月段階のものであり、その後の改善で修正される可能性もある。また、生成ＡＩは毎回回答が少しずつ変わるため、「たまたま正解する」こともある。

生成ＡＩは嘘をつかないが「幻覚」を見る

こうした特性から、「生成ＡＩは嘘をつく」と言われることが多い。

しかし、それは正しくない。嘘もなにも、生成ＡＩは判断していないのだ。単に文章を並べているだけなのだから。嘘は正しくないとわかってつくものだが、生成ＡＩは正しさを判断していない。

結果として、本来の文脈とは異なる内容を出力してしまうことを、最近は「ハルシネーション」と呼ぶようになった。ハルシネーションとは日本語で「幻覚」のこと。生成ＡＩの生成するものを嘘というのは適切でなく、人間が脳内で存在しないものを生み出してしまうことになぞらえて、このような呼び方をされている。以降本書でも、生成ＡＩが生み出す間違いのことはハルシネーションと呼ぶ。

ハルシネーションは、ＬＬＭが学習していない内容を聞かれることで生じる。別の言い方をすれば、生成ＡＩは「知らない」とは基本的に言わない。なにを知っているかも、生成ＡＩ側で明確に判断できるわけではないからだ。突き詰めれば人間だってそうだろう。

一方で現在のＬＬＭ、特にＣｈａｔＧＰＴは、入力した命令・質問を分析し、利用者が最新の情報を求めているようだと判断した場合、「最新の情報はわかりません」といったメッセージを最初に出すようになった。ハルシネーションの影響を減らし、利用者に正しい判断を促すためだ。

このため、現在の生成ＡＩを使う場合には「学習されていない、最新の情報を聞かない」「あまり学習していないであろう内容を聞かない」「計算問題などを解かせない」という配慮は必要になる。

例えばＣｈａｔＧＰＴに日本語の古典について聞いても、かなりの確率で間違いを出してくる。現状のＬＬＭの多くは、アメリカ企業によって英語の情報を多く集めて学習されていて、ＣｈａｔＧＰＴも例外ではない。だから、日本語の古典をあまり学習しておらず、間違いでも生成してしまうのである。

「絵が描けるＡＩ」の持つ価値とは

生成ＡＩが巧みな文章を書くのはわかった。では、絵はどうやって描いているのだろうか？

ブームの順番としては、２０２２年末にＣｈａｔＧＰＴが登場する半年以上前から、画像を生成するＡＩが登場している。しかしこれは製品化・公開の順番が違うだけだ。

人間にとって絵と文章は大きく違うものに見えるが、コンピュータから見れば、どちらも「データ」に過ぎない。学習の段階で特徴を積み重ね、それをあるルールに従って出力するだけだ。「情報を記号的に扱う」とはそういうことでもある。

一方で画像の場合、先に進展していたトレンドがあった。ディープラーニングで画像認識を行うために、画像に「教師」による情報を付けていくことだ。「猫」を認識するために、猫の画像に「これは猫だ」というタグ情報を付加しており、そこからAIが、あいまいな「画像から猫だと判断するためのルール」を生み出すことによって、画像を読み込ませると「これは猫の画像だ」と判断できるようになっている。

生成AIでは逆に、文章で入力した情報から学習データを使って、「猫だと確からしい画像データを作れ」と命令することで、猫の画像ができ上がるようになっているのである。

AIが学習して絵を描く、という話から、多くの人は「学習した絵を切り貼りして描いている」「すでにある絵や写真を模写している」と思いがちだ。だが、生成AIはそういう描き方はしていない。

ここで使われているのが「拡散モデル」という仕組みだ。

まず、学習する基の絵がある。そこにノイズを加えたとしよう。すると、絵がノイズで汚れて見えなくなる。だが人間ならばそこで、「この絵にノイズがなかったらどんな絵だっただろうか」と想像することができる。

そこで生成ＡＩには、「ノイズが入って基の絵とはわかりづらくなった画像からノイズを除去し、情報が欠けた絵から、基の絵を推測」できるように訓練を行う。

そうすると、ノイズの中から条件に合わせて別の絵を作り出す能力を獲得する。もう少し別の言い方をすれば「画像にとって重要な情報を移動させて絵を描く」ことができるようになる。ノイズを付加した情報を拡散させ、違いによって生成するので「拡散（Diffusion）モデル」と呼ばれている。

このように解説しても、まだ難しいかもしれない。ここで覚えておいてほしいのは、人間が絵を描く時とは全く違うアプローチで、ＡＩに学習された絵を文章から生成しようとしている、ということだ。

結果として、画像の中の文字や指、耳の形など、人間ならば間違えないようなところで間違う。これは文章で「ハルシネーション」が起きる時と似ている。そうしたミスが出ないように学習させていくことで、ある程度の解消も可能だ。

さらには、学習内容が偏っていれば、ある傾向の画風の絵が出やすくなってくる。画像生成ＡＩの多くはネットにある画像を収集して学習していく。そのため、映画やゲームなどのコンセプトアートに近い絵が出やすく、抽象画に近いものは作りづらいと言われている。

また、命令として「文章」でなく画像を与えることもできる。そうすれば、より明確に「その画像に似た画風の画像」を作らせることは可能だ。

画像や文章で画像を修正・生成していけるということは、「同じ製品が映っているが、背景が違うもの」「同じ製品を人が持っているが、その人の着ている服が違う」といったものを大量生産できる、ということでもある。この点は、デジタルマーケティングなどの領域で待ち望まれている姿だ。第1章で解説したアドビの戦略は、生成ＡＩの特徴を加味した、賢いやり方なのである。

一方で、特定の画風・モチーフの画像を認識させ、似たものを作らせることは、「ある人の作風」を再現することにもつながる。そうなると、生成ＡＩが特定のアーティストの労働を奪ってしまう……という考え方にもつながっていく。

そして、文章も画像も同じように「データ」として扱った上でそれぞれの手法を使って学習できるということは、他のどんなデータでも学習し、生成するＡＩができるということだ。音はもちろん、音楽や動画、3Dデータと、様々なものが「生成」できる。もちろん得意不得意・有利不利はあるだろうが、人が作り得るデータのほとんどは生成AIでも作れる時代がやってくるし、人がデータを作る時に生成AIに助けてもらう時代は目の前に来ている。

量の力は「言語の壁」も越えさせる

生成AIがもたらした意外な効果として「言語の壁を越えた」点が挙げられる。第1章でも解説したように、ChatGPTをはじめとした生成AIが日本でもここまで注目されるようになったのは、「文章を入力するだけで簡単に使える」ことに加え、「日本語で使えた」ことが非常に大きい。

日本にも英語が堪能な人は多数いるし、翻訳サービスも充実してきてはいるものの、純粋に英語だけのサービスではハードルが高い。2023年現在、英語を読み書きするのであれば、ChatGPTなどの生成AIは非常に有用だ。翻訳もできるし、論文などを要約することもできる。

だが、少なくともGPT－3などに関して言えば、言語の壁を越えたのは意図したことではなく、大量の学習を行った結果「学習した内容に英語以外も含まれていた」から、という状況であるようだ。

逆に言えば、英語はもっとたくさん用例があるので、日本語で質問した時よりも賢く、正しい回答を返す場合が多い。また、英語と日本語の間での翻訳が巧みだからといって、日本語と他の言語との間の翻訳が同レベルで巧みか、というとそうでもない。

どのLLMでもすべてがうまく言語の壁を越えているわけではない。グーグルやアドビは、自社LLMを公開後もすぐには日本でサービスを行わず、さらなる調整と学習を加えてから提供を開始した。

グーグルは2023年5月のBardでは、利用するLLMである「PaLM2」で多言語対応を優先したという。それだけ重要だということなのだが、日本語・韓国語などの英語から離れた言語への最適化を進めると、英語での利用に悪影響が出る可能性もあったという。結果的には、英語を含むすべての言語で悪影響を出すことなくサービス提供を開始できたそうである。

その他、いろいろな企業や研究機関がLLMを公開するたびに、日本のエンジニアや研究者が日本語での精度などを分析しているが、GPT－4などに比べて劣っている場合も多いようだ。

すなわち、多言語対応は「努力しないとできないこと」であり、OpenAIはなにか努力をしている可能性が高いのだが、それでも、狙って最初から多言語に対応できたわけではないようである。

ちなみに現在の翻訳AIは、トランスフォーマーではなくRNNなどを使い、大量の用例・翻訳例を学習して作られている。

生成AIが言語の壁を越えられるなら、翻訳用のAIはいらないようにも思えてしまうが、みらい翻訳の鳥居CEOは「そうではない」と説明する。

まず、生成AIは処理負荷が大きく、答えが出るまでに時間がかかる。それに対して翻訳AIはほぼ一瞬でOK。このことは結果として、サービスを維持するために必要なサーバーのコストに跳ね返ってくる。

精度の面でもまだ差がある。特に、企業向けに特定ジャンルで必要な単語・用例・ルールなどを組み込んで使う場合、大きな差が生まれやすいという。

生成ＡＩは使っていないものの、ディープラーニングベースの翻訳ＡＩには課題が存在する。ハルシネーションは起こさないのだが、文章を飛ばしてしまったり、別の意味に翻訳してしまったりすることはある。それは特に、文意が込み入った場所で起きやすいという。そのため、翻訳ＡＩを使った時にも「内容が正しいかどうか」を人間が確認する必要がある。

そこでちょっと面白いテクニックがある。

翻訳後の文章を再度「逆に翻訳」するのだ。日本語から英語に翻訳した場合ならば、その英語の文章を再び日本語にする。そして、翻訳前の文章と比較してみるのだ。文意に大きな違いがなければＯＫだし、違いが出た場合には、元の日本語文の表現を変えるか、英語の文を少し変えればいい。そうやって違和感を減らすのがコツだという。

「良質な学習用データ」は貴重な存在

生成ＡＩの回答の質を上げるためにはどうすればいいのだろうか？

ＬＬＭ開発のために、ネットから多くの文書が収集され、使われている。場合によっては印刷物や電子書籍なども使われているかもしれない。

そうした学習用データの内容は「できるだけ質が高い」ことが求められる。間違いだらけだったり、荒い言葉遣いだったりする文章ばかりを学習しても「間違いだらけで言葉遣いが荒い」ものができてしまう。できるだけ質の高いデータを大量に集めることが重要だが、そもそも質の良いデータはそんなにたくさんあるわけではない。

２０２３年７月13日、ＡＰ通信はＯｐｅｎＡＩとの提携を発表した。目的は「ニュースコンテンツや技術を両社が共有し、報道における生成ＡＩの活用の可能性を検証するため」とされている。

そうすると、ＡＰ通信が生成ＡＩで記事としてそのまま公表する目的でニュース記事を作るのか……ということになるが、それが狙いではない。通信社には、プロが書いた優良なニュース記事がたくさんある。それを学習に使えれば大きい。

詳しくは第４章で述べるが、生成ＡＩで作られたものが著作権侵害を起こさず、アーティストなどの権利と価値を侵害しないためにも、学習するデータの権利や「素性」も重視されるようになる。そうすると、企業との提携でデータを集める例は他にも出てきそうである。そのくらい、もはや「質が高い学習データ」は貴重な存在なのだ。

一方で、公開されたデータから勝手に学習した生成ＡＩを使いたい人もいるだろうし、少々アンダーグラウンド的なビジネスとして、権利に抵触するコンテンツを作って売るために、生成ＡＩが使われることもあるだろう。

このあたりは、難しい問題に直面している。

また、学習データとなる文章の多くが英語に偏っていることも問題視されている。ＡＩの学習に大量のデータが必要であるなら、話者の少ない言語は不利、ということになってしまうからだ。各国語の持つ特殊な事情も忖度されづらくなる。

そのような事情から「日本語は不利」と言われる。

「日本独自のＬＬＭが必要」という意見があるが、理由は二つある。一つはＬＬＭのように重要な要素を他国に依存すべきではない、ということなのだが、もう一つの理由が「日本語への最適化」にある。

ただ、日本語はネット上で利用者の多い言語のトップ10に入っており、言語全体で見れば、話者の多い恵まれたグループに属する。アジアなどの地域に存在する言語の多くは桁違いに話者が少なく、ＡＩが学習するためのソースも少ない。

　メタは同社のＡＩ研究開発部門の中で、話者の少ない言語でも問題なく翻訳できる技術を開発中だ。こうした試みは、ＡＩにおける「データ量偏重」の課題に対する解決策の一つと言えそうだ。

第3章　「コパイロット（副操縦士）」としての生成ＡＩ

注　ここからしばらくは、通常の作り方とは違う形で文章を書いている。その点を頭に入れつつお読みいただきたい。

生成AIは「簡単さ」が特徴

生成ＡＩ、特にＣｈａｔＧＰＴの利点は「使うのが簡単」というところにある。文章で命令を書けば、それに従って回答文を作ってくれる。

ただ、文章で命令を与えるというよりは、質問して答えを楽しんでいる人も多いようだ。それはいわば「生成ＡＩをネット検索代わりに使っている」ということでもある。

そもそも生成ＡＩには「質問が容易だ」いう利点がある。

ネット検索で「猫の平均寿命は？」といった質問をしたとしよう。今は検索サービスが文章解釈技術を磨いた結果、これでも答えは出てくる。だが、「猫」「平均寿命」のように、具体的なキーワードを選び出す場合が多いだろう。

しかし、生成ＡＩを用いると、より自然な言葉での質問が可能となる。「猫は何歳くらいで寿命を迎えることが多いのだろう？」と話しかけるような文で質問するだけで、ＡＩ

はその意図を把握し、適切な回答を生成する。

こうした特性は、従来のネット検索とは異なり、生成ＡＩとのやり取りがあたかも「人間同士の会話」であるような感覚をもたらす。

「最近の映画でおすすめの作品は何だろう？」と考えた時、ネット検索では「最近の映画」「おすすめ」といったキーワードで探すか、具体的な映画のタイトルで評判を検索する必要がある。だが、生成ＡＩを利用すれば「最新の映画で面白い作品はありますか？」という、自然な言葉での質問が可能だ。

生成ＡＩを利用することで、人々は「検索単語を考える」悩みから解放され、より直感的に質問を投げられるようになる。生成ＡＩは質問の意図を理解し、それに基づいて適切な回答を生成するため、ユーザーは自然な言葉でコミュニケーションをとることが可能となる。

生成ＡＩの回答をどう扱うべきか

だが、実際には生成ＡＩとネット検索は全く異なるものである。これはきわめて重要なことだ。

生成AIは、自身が学習した情報にのみ基づいて文章を生成するため、常に最新の情報を提供してくれるわけではない。例えばChatGPTの場合、2023年7月時点では、2021年9月までの情報に基づいて学習されているため、文章も2021年9月までの知識に基づいて生成されている。

先ほど「最新の映画で面白い作品はありますか?」という質問を例に挙げたが、これは生成AIにとっては、ちょっと微妙な質問になる。生成AIの大規模言語モデルが持っている知識には含まれない可能性があるからだ。

一方、マイクロソフトの「Bingチャット検索」やグーグルの「Bard」といったサービスは、生成AIが学習した内容から直接答えるのではなく、まず生成AI自身がネット検索をし、その検索結果を生成AIが文章にまとめ直す。結果として「検索のように使える」ことを目指しているわけだ。

だが、これらの技術もまだ発展途上である。生成AIが持つ、存在しない情報=ハルシネーションを生成する可能性もある。

第2章でも述べたが、生成ＡＩは、訓練の過程で与えられた情報を基に回答文を生成する。その過程で、ＡＩは情報の関連性やパターンを学習し、それに基づいて未知の問いに対する答えを生成する。だが、その答えはＡＩが学習した情報の中から組み上げられたものであり、事実であるかどうかを担保しながら生成されるわけではない。実際、現実世界での最新の事実や未確認の事実を反映しているとは限らないのだ。

例えば、生成ＡＩが「次のオリンピックの開催地は東京である」と回答したとする。これは、ＡＩが最新の情報を持っていないため、過去のオリンピックの開催地に関する情報を基に推測した結果である。その次のオリンピックの開催地が実際に東京であるかどうかは、学習すべき情報が更新されていない限り、生成ＡＩが確認することはできない。

生成ＡＩは学習した情報から新しい情報を生成することはできるが、それが「存在しない情報」、つまり現実世界の事実と一致しないものを生み出す可能性もある。したがって、ＡＩが生成した情報はあくまで参考の一つであり、最終的な判断はユーザー自身が行うべきである。

そして、そもそもの問題として、ネット検索で得られた情報も、必ずしも事実とは限らない。ネット検索はあくまで「ネットに掲載された情報がある場所を示している」だけで、そこに掲載された情報が正しいとは言っていない。

正確な情報を求めて検索する人は多く、医学や災害情報などでは「情報のありか」だけでなく、専門家から得られた知見を基に正確な情報を優先的に出すようにはなってきている。しかし現在も、ネット検索は「正しさの担保ではない」ことが原則である。

同様に、生成ＡＩが提供する情報も正確であるとは限らない。

生成ＡＩとネット検索、どちらを使うにしろ、情報が正確かどうかを自分で判断する必要がある点に変わりはない。

さらに付け加えるなら「質問を正しく解釈してくれたとは限らない」という話もある。

生成ＡＩは質問の文脈を解釈しようとするが、その解釈が常に正しいとは限らない。人間だって、質問内容を誤解することはある。それと同じだ。

だから生成ＡＩの回答についても、自分が意図した通りの受け取られ方かどうか、常に確認する必要がある。

これらの特性を考えると、生成ＡＩの利用時には、自身が回答内容を適切に読み解き、

「これが正しいと認識した」という自己の責任において利用することが肝要だ。

特に学生の場合、レポート作成においては常に「批判的精神」が要求される。それゆえ、生成ＡＩが提示した内容も、その精神で解釈しつつ、自身独自のレポートを作成するための資料として活用する工夫が要求される。「生成ＡＩの答えを丸写しする」という問題が指摘されているが、学生が「レポートを書くとはどういうことか」や「その結果には、自分のキャリアがかかっている」ことを認識していたら、丸写しはできないはずだ。

生成ＡＩが「ネット広告」を壊す

生成ＡＩとネット検索には「ビジネス上」の関係もある。

生成ＡＩがもしネット検索に代わるとなれば、その影響はインターネット広告ビジネスにとっても大きなものとなるだろう。なぜなら、ネット広告で大きな領域を占める「ターゲティング広告」や「検索連動広告」が、今のままだと、生成ＡＩの中では機能しないからだ。

ターゲティング広告とは、ユーザーの過去のインターネット上の行動や興味関心、地理的な位置情報などに基づいて、個々のユーザーに最適化された広告を配信する手法と定義される。

他方で検索連動広告は、ユーザーが検索エンジンでキーワードを入力した際に表示される広告で、検索キーワードに連動して適切な広告を表示するシステムである。

これらの広告が生成AIによるネット検索の代替では成立しなくなるのは、生成AIがユーザーの検索行動や個々の行動履歴を必要としないからだ。

生成AIはユーザーから具体的な問いを受け取り、その問いに対して知識を用いて答えを生成する。それはユーザーが特定のキーワードを検索エンジンに入力することとは異なる行動であり、したがって検索キーワードに基づく広告配信が難しくなる。

また、生成AIはユーザーの過去の行動履歴にも依存しないため、ターゲティング広告のような個々の行動や興味に基づいた広告配信も困難となる。

とはいうものの現状では、生成AIには精度や速度の問題があるため、すべてのユーザーがネット検索の代わりに生成AIを利用するという状況にはまだなっていない。生成AIは注目されているが、30年近く使い続けられてきた「キーワードによるネット検索」

の力は強いためだ。

したがって、「生成ＡＩでネット検索ビジネスの勢力図が塗り替えられる」という状況は出現していないと言える。ただ、勢力塗り替えの可能性が十分にあることだけは間違いない。

マイクロソフトは生成ＡＩを使った検索サービスの開発で先行し、グーグルよりも早く「Ｂｉｎｇチャット検索」を市場導入できた。

現在のネット検索においてグーグルは90％近くのシェアを持ち、数％しかないマイクロソフトを圧倒している。この状況はまだ劇的に変わったわけではないが、２０２３年春からの３か月程度で、Ｂｉｎｇのシェアは数パーセント単位で拡大している……と、複数の調査会社は語っている。

グーグルも２０２３年5月開催の開発者会議「Ｇｏｏｇｌｅ Ｉ／Ｏ ２０２３」において、ネット検索への生成ＡＩの導入を進めると宣言した。ただし、その導入にはまだ時間が必要で、現在は慎重にテストを行っている段階ではある。

生成ＡＩとネット検索は、別の存在であるが、人々の使い方から、お互いが歩み寄る世界へと向かいつつある。

生成ＡＩに向く仕事とはなにか

ネット検索と生成ＡＩは、確かに違うものではある。だが本来、生成ＡＩはネット検索よりはるかに汎用的な存在であり、多種多様な使い道がある。

人間的な文章を生み出す力を持つ一方で、人間と同様の働きをすべて行うわけではない。一見人間に似た「知的なソフト」に見えるが、生成ＡＩが得意とする領域と、人間が得意とする領域は結構異なっている。

この特性は、人間の労働と生成ＡＩの関係を考える時に重要だ。

すなわち、人間にとっては「ＡＩに積極的に奪ってほしい仕事」と「そうでない仕事」がそれぞれ存在するということである。

積極的に生成ＡＩに奪ってもらいたい仕事とは、厳密には「仕事」というより「作業」に近いものを指すのだろう。特に奪ってほしいのは「反復的なタスク」だ。例えばデータ処理や認識、特定のフォーマットに従って文書を書き換えるといった作業がこれに該当する。これらは人間が行ってもいいし、実際ＰＣが登場する前は人間が行っていた。だが反復作業は時間がかかるし、なにより疲れる。

人間にあまり向かない仕事の一つに「音声からの文字起こし」がある。従来は、人が聞いてそれをタイプするなどの形で記録していた。そこそこ脳を使うが、本質的には単純作業である。しかし、ちょっと前までは、ソフトウエアでは不完全なものしかできなかった。筆者の実体験で言えば、１時間分の録音を人間が文字起こしすると、最低でも数時間はかかる。

だが現在は、ＡＩの進化により、英語ならほぼ完璧に、日本語でも条件によっては相当の品質でＡＩによる文字起こしが可能になっている。作業時間も数分から十数分というところで、待っているだけで終わってしまう。

画像解析なども人間には時間と労力がかかる作業だが、ＡＩに特定の命令を与えてさせるのは簡単なことだ。ＡＩには人間が持つ疲労という概念がないため、連続しても同じパフォーマンスを発揮する。たくさんの工業機械にそれぞれ人を配置して監視させるのは、労力的にも人件費的にもナンセンスだが、カメラ＋ＡＩに担当させるなら、何十か所でも用意できるだろう。

ちょっと皮肉な話なのだが、現状、人間の手足ほど「柔軟に動いて正確に制御できるもの」はない。実のところ、監視するAIのアラートに応じて人間が動く、というのは合理的な姿でもあるのだ。常時監視場所に張り付いている必要はなく、別の仕事をしながら必要な時に動ける体制にしておく、という動き方はあるだろう。

生成AIは、定型文の作成や業務レポートの作成といった、特定のパターンに基づく文章生成も得意としている。

これらの作業を生成AIが担当することで、人間の作業負荷を軽減し、より価値のある作業に時間を割くことができる。

生成AIが得意とする領域は幅広いが、中でも期待されるのがデータ解析とその結果の視覚化である。様々な種類のデータから意味のある傾向やパターンを見つけ出す、という分析作業だ。例えば、グラフなどを用いて視覚化、レポートを作成することなども含まれる。

それに加え、コンピュータ・プログラムの作成も得意である。これは一見意外かもしれないが、プログラムも言語である、と考えると理解しやすい。

また、インターネットにはプログラム学習や成果の共有といった目的から、多くのサンプルコードが存在する。これらのサンプルコードから生成ＡＩが「良いプログラムの書き方」を学んでいる。

生成ＡＩが間違った内容を含む文章を作ってしまうように、プログラムについても間違った内容が生成されることはある。だが、プログラムという存在が論理的でブレが少ないからか、自然言語に比べると間違いは少ない傾向にある、と言われている。

そんな特性を活用したのが、２０２３年７月、ＯｐｅｎＡＩが公開した「コード・インタープリター」という機能だ。この機能はＣｈａｔＧＰＴに組み込まれた。文章で与えられた命令に従い、内部で「Ｐｙｔｈｏｎ」というプログラム言語を使って処理を生成、命令通りのデータ解析を行う、というものである。

例えば、ある会社の業績データがあるとしよう。これをグラフ化し、国別の売上と全体売上の間での相関関係を見つけたい、とする。もちろん従来でもエクセルなどの表計算ソフトを使って整理すれば出てくるものだ。しかし、それにはエクセルなどを使って解析するノウハウが必要であり、その大半は面倒な作業だったりもする。そこでＰｙｔｈｏｎを使って自動化する人もいるのだが、これもまた技術を要する。

しかし、コード・インタープリターを使うと、そうした技術がほぼ不要になる。解析したい元データがあり、「自分がどんな情報を求めているのか」という目的さえはっきりしているなら、ＣｈａｔＧＰＴにそれを命令すればいいだけだ。

「全体を見て責任を持つ」のが人間の仕事

しかし、生成ＡＩによるプログラム生成にはまだ制限がある。基本的なプログラムは生成できるが、複雑なプログラム全体の構造を一から生成ＡＩだけで設計し、一度に完全に作り上げることは、現時点ではまだ難しい。

現在の生成ＡＩは、各種の業務内容を細分化して与えられたなら、それらを高い精度で処理することが可能である。だが一方で、全体の業務を統合するのはそこまで得意ではない。「大局観に欠ける」という言い方ができるかもしれない。これは生成ＡＩそのものの限界というより、開発の途中であるから、という点が多分に影響している。

またそもそも「目的通りの仕事ができているか」ということに責任を取る役割は、本質的には人間が担当すべきものだ。それぞれのタスク履行はＡＩが行う領域でも、それらを全体のビジョンに組み合わせる統括的な役割は、人間の方がより向いている。ただし、「より良く組み合わせるにはどうすべきか」というパズル的な部分は、ＡＩにさせた方が効率は良い。「良い組み合わせ」がなにかを定義するのが人間の役割である。

全体のプランニングや創造的なアイデア出しといった部分も、人間が担当すべきだ。これらは我々が楽しみを感じる活動であり、高度な視点から全体像を見つめ、検討する作業は、それ自体が面白く刺激的な仕事でもある。

人間が得意とするこれら創造的な仕事を自分たちで行い、一方で面倒で時間のかかる大変な業務を生成ＡＩに委託するのが、最適な分担と言えるのではないだろうか。

このような視点から見ると、人間と生成ＡＩが協力し合う関係性、つまり「コパイロット」の本質の一つは、人間が興味深く創造的な業務を担当し、生成ＡＩが煩雑で時間を要する業務を効率的に処理することにあるのかもしれない。

これにより、我々はより高いパフォーマンスと、充実した楽しい労働環境の両立を目指すことになりそうだ。

ここまでの文章は「生成AI」とのコラボだった

本書では、第1章と第2章で生成AIがなぜ生まれ、どのように働き、結果としてどのような制約があるのか、という話をしてきた。そして、それでもなお、生成AIが社会にとって必要である、という論を展開してきたつもりだ。

そろそろネタをバラしてもいいのではないかと思う。第1章と第2章は筆者がすべて書いたが、本章（第3章）に入ってからは、ここまでの文章について、生成AIに大半を書いてもらっている。そこで念のため、本章冒頭にはその旨注釈を差し込ませていただいたのだ。

本章で生成AIに書いてもらった部分の内容は、生成AIが検索とは違う特性を持つこと、そして、我々の「仕事」と呼ばれるものがどんどん加速し、質・量ともに必要とされるものが増えていく中では、人が直接関わるのではなく、生成AIの力で「人が作ったかのようなタッチポイントのなめらかさ」を持つ文章やコンテンツが重要になる、という話だった。その様を、マイクロソフトやグーグル、アドビなどは「コパイロット（副操縦士）」という表現で説明している。

要はコパイロットとしての生成ＡＩとはどんな存在なのか、それを生成ＡＩ自身の力を借りて示してみたい、というのが本章の狙いである。

ただし、本章のここまでの文章にしても、生成ＡＩが書いた文章「そのまま」を掲載しているわけではない。生成ＡＩ、具体的にはＣｈａｔＧＰＴ（ＧＰＴ‐４利用）に条件を与えて書いた文章を、最終的には筆者が精査した上でまとめたものだ。また、その文章を書くために必要なアイデアの一部も、生成ＡＩであるマイクロソフトの「Ｂｉｎｇチャット検索」やＣｈａｔＧＰＴと「相談」した上で作っている。

生成ＡＩはあくまでツールであり、文章を最終的に作ったのも、その文責を持つのも筆者である。

では、実際にはどのようなプロセスで作られたか、解説していこう。なお、ここからの文章は、特に説明がない限り筆者の手によるものだ。

文章をまとめ直すのは非常に得意

生成ＡＩは、命令（プロンプト）に応じて答えを生成する。ＣｈａｔＧＰＴのようなサービスの場合には、書いてほしい文章の内容を与え、その結果を利用する。

そういう話になると多くの人は、ＣｈａｔＧＰＴを、ネット検索サービスのように使ってしまう。例えば「Ａという作家の代表作を教えてください」と入力するわけだ。それでももちろん、一定の答えは出てくるが、それが生成ＡＩの本当の使い方というわけではない。第2章でも述べたように、生成ＡＩは「正しい答えを出す」道具ではない。情報の正しさを判断できるのは、今のところ人間だけであり、ＡＩが行うのはその前に情報をまとめる作業に過ぎない。結果的に正しい答えが出てくることもあるが、それは、悪く言えば「たまたまそうだった」と考えてもいい。

とはいえ、中身ではなく「文章という情報の塊」として見た場合、生成ＡＩは非常に優れた働きをする。多数の文章から「正しい」ではなく、あくまで統計的に妥当と思われる内容を構築する、という特性から、文をまとめ直すのは非常に得意である。

というわけで、生成ＡＩにまず求めることは「文章を断片から再構成してまとめ直す」ことになる。

第1章で「生成ＡＩは言語の壁を越えた」という話をした。それは、文章を解析してまとめ直す、というLLMを使った生成ＡＩの特質上、他の言語で書かれた文章を別の言語でまとめ直す……という作業が可能になっているからでもある。

それを考えても、箇条書きのような断片情報を文章化するのは、生成ＡＩにとって得意分野であることがわかるだろう。

生成ＡＩと「壁打ち」する効果

次に期待するのは、生成ＡＩが学習の過程で獲得した内容から、自分とは違う見解を提供してもらうことだ。

生成ＡＩは人間とは異なり、（少なくとも２０２３年現在では）知性ではないし、人格も持っていない。知性を持っているかのように見えてしまう時がある、というのは事実でもあるが、それは人間の側がそう錯覚しているに過ぎない。

一方で、世の中に存在する大量の文書から学習したということは、問われたものへの回答について「大量の文書の中から得られた統計的に妥当な言葉の並びになっているもの」を答えている、ということ。しかし、世の中に完全に中庸な人間が存在しないように、妥当な話しかしない人もいない。

だとすると、生成ＡＩは「人間の問いかけに対し、何となく知性があるような、問いかけた人が持っていない要素を回答として返すこともある存在」だということだ。

これは、誰かに意見を聞いてもらい、その回答から自分の考えをまとめていく行為に近い。俗に「壁打ち」などと呼ばれる手法に似ている。リモート環境で一人作業するよりオフィスに集まった方が効率はいい、と言われる理由の一つとして、この「壁打ち」的な行為が雑談の中で行われるから……という説を唱える人がいる。それはわからないでもない。

一方で、オフィスなどで常に壁打ち的な雑談ができるかというと、そうでもないだろう。忙しさは人によって異なるし、話しかけられることが苦手な人もいる。そもそも「アイデア出しの壁になる」のは、半分ボランティアみたいなもので、他人の時間を奪ってしまう面もある。

雑談的なコミュニケーションは重要だが、常に誰かの時間を好きなように奪って、それを実現することは難しい。だとするなら、その相手を生成ＡＩにやってもらう……という活用法は十分にあり得る。

的外れな回答が出てもいいし、正しい回答を求めるわけでもない。結局、考えをまとめるのは「自分」なので、生成ＡＩは「適度に会話に付き合ってくれる」存在であれば十分だ。まだ人間のような話し相手にはなれないし、そうするには専用のサービスとして作り込む必要があると思うが、とりあえず、今の生成ＡＩでも可能ではある。

まずは「ＡＩと一緒に考えろ」

これらの観点を活かし、生成ＡＩの力を最大限に使って原稿を作ってみた。内容はすでに本章冒頭で示してあるが、どう使ったのかを解説していきたい。

まず目標としたのは文章を作るための「内容構成を固める」ことだ。具体的には、箇条書きで内容を考え、それを生成ＡＩに肉付けさせて記事のベースを作る。その前段階として、箇条書きの内容を作るために「考える」作業をＡＩとともに行うことになる。

今回の場合には、執筆すべき核となるテーマを「生成ＡＩはネット検索を超えるのか」「奪ってほしい仕事とそうでない仕事」の二つに定めた。どちらも個人の仕事をどう考えるのか、という観点からの課題設定である。

まずシンプルに、それぞれの課題について、ごく簡単な質問を作って投げかけてみる。世の中には複数の生成ＡＩサービスがあり、同じ大規模言語モデルを使っていても、同じ回答が出てくるとは限らない。また、サービス内で「生成する文章の量やテイスト」を変えられるものもある。

この段階で、筆者は現状、複数の生成ＡＩに同じ質問をしている。行っているのは「文章を作ってもらうこと」そのものではない。意見を聞いているようなものだ。複数人に意見をぶつけ、その違いを考察するような感覚で使っている。これは、自らの考察の幅を広げると同時に、ハルシネーションの影響を小さくする狙いもある。生成ＡＩが示す回答がそれぞれ食い違っていたとしても、特に問題はない。重要なのはそこから「自分はどの意見をピックアップするのか」ということだからだ。

今回は三つのサービスに質問している。ＣｈａｔＧＰＴ（ＯｐｅｎＡＩ）とＢｉｎｇチャット検索（マイクロソフト）、Ｂａｒｄ（グーグル）だ。

なお、Ｂｉｎｇチャット検索には、生成する文章をどれだけ保守的な範囲に止めるか、という設定項目がある。「創造的に」「バランスよく」「厳密に」の3点だ。Ｂａｒｄはテイストの違う三つの回答を同時に提示するようになっていて、その中から一つを選ぶ。これらの機能自体が、サービス提供側も「生成ＡＩの回答は絶対ではない」と認識していることを示しており、利用者は自己の判断において適切なものを選択すべきだ、という主張にもなっている。

今回はアイデアを広げる目的で使っているので、最大限「面白い」と感じたものをピックアップしている。

また、最初の質問で止めるのではなく、そこに質問を追加することで深掘りもしている。こうしたやり方を「更《さら》問《と》い」などと呼ぶ。一般的なネット検索と生成ＡＩの違いは、「更問い」によって議論を深められるというところにある。

では実際に回答を見てみよう。といっても、生成ＡＩからの回答をすべて掲載すると冗長になるので、回答全文は別途ウェブ上に掲載している。詳細を読みたい方はそちらをご覧いただきたい（付録資料：https://nhktext.jp/seiseiai）。下記ＱＲコードからもアクセスできる。

一つ目の設問は、
《生成ＡＩはネット検索とどう違うのか。生成ＡＩへの質問をネット検索のように使うことの是非を教えてほしい》
というものだ。
同じような質問は多数行われているだろうし、生成ＡＩには答えやすい質問だろう、と想定してのものである。実際、回答はどれも似た傾向にはなった。要約すれば、

- 生成ＡＩは最新の情報に基づいているとは限らないが、ネット検索ではより新しい情報が出てくる可能性がある。
- 生成ＡＩは、ユーザーの興味や好みに合わせて、個性的で楽しい回答を提供することができるが、正確さや客観性に欠ける場合もある。
- ネット検索は自分が知りたい内容を理解してから検索する必要があるが、生成ＡＩはコンテクストを理解して回答してくれることがある。

といったところだろうか。内容としては納得できるものとなっている。別添の各回答を読んでいただければわかるが、「生成ＡＩ」とまとめて語ってしまうには惜しいくらい、バリエーションに富んだ回答が出てきているのがわかる。

その上で更問いとして「その観点で、特に学生はどこに気をつけるべきか」を聞いてみた。その回答は、傾向として「単純に事実だと信じてはいけない」ということに尽きる。一方で、ＣｈａｔＧＰＴが「批判的思考」と「オリジナリティ」を気をつけるべき重要な要素として挙げてきたのは興味深かった。

要は、正確かどうかを判断するだけでなく、回答が「唯一のものかどうか」も確かではない。だから内容について批判的に思考して活用すべきであり、レポートなどは「自分の言葉で再構築すべきだ」という指摘である。実に真っ当だが、言語化して示されているのは重要と言える。

さらに「生成ＡＩがネット検索のように使われると、ネット広告にどう影響するか」も聞いてみた。現在のネット広告は検索連動が主軸である。それが生成ＡＩになるとサービスの形や情報の流路が変わるので、大きな変化がもたらされる可能性は高い。

ここで面白かったのは、ＣｈａｔＧＰＴが基本的に「変化することによる課題」を提示してきた一方で、Ｂｉｎｇチャット検索やＢａｒｄは「生成ＡＩでネット広告はさらに成長する」という明確な論旨で課題を追記するような展開になったことだ。

ＯｐｅｎＡＩは生成ＡＩのサービスを売る会社である一方、グーグルはもちろん、マイクロソフトもＢｉｎｇでは「ネット広告を売る」ことをビジネスとしている。この2社のサービスが揃って広告事業の未来に前向きの回答、というのは興味深い。

ただ、ＡＩの仕組みを考えると、「ネット広告に支えられているから、ネット広告事業に有利なようＡＩをチューニングしている」とはちょっと考えづらい。おそらく理由として、ＣｈａｔＧＰＴ以外は「ネットの最新記事も分析し、それを情報に取り込み回答している」からではないか、と考えられる。生成ＡＩの議論が深まるほど、既存広告事業と生成ＡＩの可能性に関する記事が増え、そこでは楽観的な内容が多いのではないか……と推察した。

そうした推察は生成ＡＩの回答には含まれていないのだが、読んだ筆者の側がそこからさらに考察を加えることができる。

これこそが「壁打ち的思考」と言っていいだろう。

箇条書きから「文章」への生成過程

では、さらにそこから「書いてほしい文章の概要」を考えていく。

最初から全体がつながった文章として考える必要はない。まずは「書くべき内容」を箇条書きでリストアップしていく。

この段階では、文章化された際にどんな順番で話題が出てくるかも、考える必要がない。実のところ、現状の生成ＡＩでは、「箇条書きで文章の内容を与えた」場合、どんな順番で書かれているかが、最終的な文章の構成に大きく影響を与える。だから、生成ＡＩに質問として文章を与える前には、箇条書きしたものを並べ替えする作業が必要になる。しかし、アイデアとしてまずリストアップしてしまう方が楽なので、生成ＡＩとの「壁打ち」を参考に、アイデアを書き出していった。筆者の場合、生成ＡＩが指摘してこない内容も取材の過程でわかっているので、その辺を含めてつけ加えていく。

というわけで、記事の前半・設問１を題材にした部分の箇条書きを作った。全部をここに掲載すると長くなるだけなので、こちらも全文は別添の参考付録をご確認いただきたい。冒頭の一部はこのような感じだ。

・生成ＡＩ、特にＣｈａｔＧＰＴに代表されるサービスは、ネット検索代わりに使われてしまっている。
・生成ＡＩには「質問しやすい」というメリットが存在する。
・ネット検索は基本的に単語単位。質問したい内容を理解し、単語に切り分けてから入力する必要がある。
・生成ＡＩは質問の文脈を解釈し、そこから適切な質問を作ろうとする。使ってみると、この要素は従来のネット検索より楽だ。
・しかし実際には、生成ＡＩとネット検索は違うものだ。
・生成ＡＩは学習した内容から文章を生成するので、常に最新の情報を出してくるわけではない。
・ＣｈａｔＧＰＴの場合、２０２３年７月段階では、２０２１年９月までの情報を基に文章が生成される。

これだけを見ても、本章で掲載済みの文章に近いことがおわかりいただけるのではないだろうか。

ただ、このままでは箇条書きに過ぎない。これをちゃんとした文章にするには相応の手間がかかるので、そこは生成AIにやってもらうことにしよう。

具体的には、ChatGPTに、以下のような命令を与えた。

「生成AIとネット検索について、以下の箇条書きの内容をベースに文章を作ってください」

すべての箇条書きを一気に与えてもあまり良い文章はできなかった。そこで、箇条書きをいくつかのパートに分割し、それぞれを別に文章化していく。

すると次のような文章ができ上がる。

〈生成AIは質問しやすいというメリットがあります。一方、ネット検索は基本的に単語単位で行われます。ネット検索を利用する際には、まず質問したい内容を理解し、単語に切り分けてから入力する必要があります。

しかし、生成ＡＩは異なるアプローチを取ります。生成ＡＩは質問の文脈を解釈し、そこから適切な質問を作ろうとします。つまり、生成ＡＩを使うことで、質問の文脈を考える手間を省くことができます。この要素により、生成ＡＩを使うことは従来のネット検索よりも簡単になります。

生成ＡＩを利用する場合、ユーザーは自然な言葉で質問をすることができます。そのため、技術的な知識や検索クエリの作成に関する心配をせずに、直感的に質問を投げかけることができます。生成ＡＩは質問の意図を理解し、それに基づいて適切な回答を生成します。

一方、ネット検索では、正確なキーワードやクエリを選択する必要があります。また、検索結果の中から適切な情報を見つけ出すためには、情報の精査や複数のウェブページの閲覧が必要になることもあります。

総じて言えば、生成ＡＩを利用することで、質問の文脈を考える手間を省き、より簡単かつ直感的な方法で情報を得ることができます。ネット検索と比較して、生成ＡＩはより柔軟で使いやすいツールと言えるでしょう。〉

本書の原稿として使う場合、常体（だ・である）である必要がある……という話はいったん置いておく。それはともかく、説明がちょっと硬くてわかりにくい。そこで「自然な言葉で質問できることについて、わかりやすいたとえを入れて全体を書き直して」という命令を加える。すると次のようになった。

〈生成ＡＩは質問しやすいというメリットがあります。例えば、ネット検索では「猫の平均寿命は？」という質問をする場合、具体的なキーワードやクエリを選択する必要があります。しかし、生成ＡＩを使えば、より自然な言葉で質問をすることができます。「猫は何歳くらいで亡くなることが多いですか？」と簡単な文で質問するだけで、ＡＩはその意図を理解し、適切な回答を生成します。

この違いは、まるで人間との対話のような感覚を生み出します。例えば、友人に対して

「最近の映画でおすすめの作品は何ですか?」と尋ねる場合、ネット検索では具体的な映画のタイトルを検索しなければなりません。しかし、生成AIを利用すれば、自然な言葉で質問をするだけでいいのです。「最新の映画で面白い作品はありますか?」と質問すれば、AIはその文脈を理解し、おすすめの映画を教えてくれます。〉

だいぶやわらかい文章になったが、「クエリ」という単語や質問の仕方は少し書き換えた方がいいかもしれない。それはまあ、後にしよう。

パートによっては、読んでみると「この部分の内容が薄い、足りない」と感じることもあるはずだ。その場合にはChatGPTに追加で質問をし、その内容を必要な部分に入れて補ってやる。

こうして、それぞれのパートをいったん文章化し、ちょっと質問を加えてつなげたのち、今度は「文章全体を『だ・である体』で書き直して」と指示を与える。

そうしてでき上がった文章の冒頭が次のものだ。

〈生成ＡＩには、質問が容易な点という利点がある。例を挙げると、ネット検索では「猫の平均寿命は？」といった質問をする場合、具体的なキーワードやクエリを選び出すことが必要となる。しかし、生成ＡＩを用いると、より自然な言葉での質問が可能となる。「猫は何歳くらいで亡くなることが多いのだろう？」と簡単な文を質問するだけで、ＡＩはその意図を把握し、適切な回答を生成する。〉

実際の「常体化」は、文章を二つに分けて処理している。今のＣｈａｔＧＰＴでは、長い文章になると処理が滞《とどこお》ることが多い。そこで、１０００文字程度を目安に処理を分けた方が失敗しない、というノウハウがある。

そうやって得られた文章を、自分の文体に近くなるよう、さらに追記と修正を加えたのが、本章冒頭の部分……ということになる。詳細な違いが気になる方は別添付録をチェック願いたい。

生成AIは「フォーマット化」を楽にする

この作業を見て「答えが一発で出せるわけじゃないのか。結構大変だ」と思った人もいるかもしれない。

ただこれは「自分の著書の中で、自分の文章に馴染み、全体の構成にも合った文章を作ってもらうための作業」だからである。間違いや論理構造のチェックはどんな文章でも必要だが、ここまで細かな修正は不要だ。

そもそも本書のうち、生成ＡＩに書いてもらったのは、本章（第3章）の冒頭のみだ。「楽な作業になるなら全文書いてもらえばいいじゃないか」と思うかもしれないが、今はまだ難しい。小分けにしないと処理が滞る、という技術的な問題に加え、「本全体を通した構成を考え、それをさらに章単位・節単位に分解して内容を決めていく」という作業は、人間が行った方が効率的で、クオリティも高いからだ。

しかし、各章の内容アイデアを考える際、生成ＡＩに「壁打ち」することは当たり前のように行っている。また、情報検索の一部はネット検索でなく生成ＡＩ（ここではＢｉｎｇチャット検索）にさせている。込み入った内容について検索したい時は、確かに文章で生成ＡＩに説明して検索してもらった方が楽だからだ。すなわち、文章を書かせることをしていないだけ、ということになるだろう。

重要なのは「アイデアを投げる」「考える」「箇条書きにする」「そこからちゃんとした文章にしてもらう」という過程だ。これは作業の細かさといった粒度《りゅうど》こそ書籍の執筆とは異なるものの、日常的な日報やビジネス文書でも必須のフローである。

多くの人はそれを脳内で行い、いきなり文章を書き始めるのではないだろうか。これは楽なようでいて、けっこう負荷がかかる作業である。「箇条書きにする」ところまでを基本的な人間の実作業とし、そこからまとめ直すところはＡＩにお任せする作業、と切り分けるのがいいだろう。

回答をそのままコピペして使うのは、生成ＡＩが自ら書いた部分でも指摘されているように避けるべきである。オリジナリティの問題もあるが、なにより内容が正しいとは限らないからだ。一度自分で「箇条書き化」という解釈のフェーズを経て、そこからの作業を簡略化するのが望ましい。こういう書き方なら、学生のレポートなどで「コピペだ」と指摘されることはまず起きないだろう。内容を考えて決めたのは自分だし、生成ＡＩが出してきた文章そのものでもない。

ここでもう一つ重要な論点がある。

「箇条書きでも人間は理解できる。ならば箇条書きのまま相手に渡せばいいのでは」ということだ。

これは確かに一理ある。だが、多くのレポートは箇条書きよりも、ちゃんとした流れのある文章であることが求められる。理由は、その方が理解しやすいからだ。

同じ文脈を共有している同士ならば、箇条書きでも問題なく伝わることは多い。しかし、そうでない人を相手にする場合には、箇条書きだと抜け落ちる部分がある。生成ＡＩに文章化してもらい、それを読んで必要な部分を直して完成させることで、文章を一から書くよりは楽に作業を終えられるだろう。

特に「提案書」「企画書」のようなビジネス文書の場合、ほとんどの部分はフォーマットに則った体裁であったりする。テンプレートを用意してそこに用語を埋め込んで作る……という手法もあるが、結局それは、「フォーマットに当てはめることで文書を再利用して時間を短縮している」に過ぎない。

だとすれば、箇条書きなどで必要事項を書いた上で「これを企画書に書き直して」と、生成ＡＩにお願いすることで、手間が省けることになる。

「文章をつなぐ」「フォーマットを書き換える」という作業は生成ＡＩにとって得意なことだ。

意外な使い方としては、「文章の形で与えられたスケジュールを、スケジュールアプリに登録可能なｉｃｓ形式のファイルに書き換える」といったものもある。アプリに日時を転記するのは意外と面倒くさいものだが、これなら意外と簡単で、ミスも少ない。

そして、「フォーマットを書き換える」という作業の究極は「翻訳」である。現在の生成ＡＩの翻訳能力はかなりのものだ。第２章で述べたように、生成ＡＩは言語の壁を越えつつある。その能力を、文章のフォーマット変換である「翻訳」に活かすことができる。

もちろん、その言語のネイティブに近い人々が書く文章に比べれば不自然で、書き直した方がいいところもある。しかし、なにより簡単でいい。筆者も英語のメールを書く時などは、日本語で書いてから英訳させたり、英語で箇条書きにしたものを文章にしてもらったりしている。

そこまで視野を広げれば、生成ＡＩは２０２３年の時点でも、すでに十分、我々の「コパイロット」として働けることがわかるし、その可能性がさらに広がっていることもご納得いただけるだろう。

第4章 生成ＡＩに「させるべきこと」と「させてはいけないこと」

生成ＡＩと「人間との競争」

生成ＡＩは、これまで人間が作ってきたものから学習し、かなりの領域で「人間が作るようなもの」を、人間より素早く作る。

その背景にあるのは、大規模言語モデル（ＬＬＭ）や画像の生成アルゴリズムの組み合わせに過ぎないが、極論すれば、学習させる量の劇的な変化が「人間が作るようなものを作る機械」を生み出したことになる。

次の課題は「生成ＡＩにはなにをさせるべきか」ということだ。第３章で述べたように、生成ＡＩは人間の作業を助けるコパイロット（副操縦士）になり得る。生成ＡＩを開発するＩＴ大手のほとんどはこの路線を支持しており、おそらくはそれが妥当な選択なのだろう。

ただ逆を言えば、妥当ではない使い方があるから、各社は立ち位置を明確にしているのだ。

生成ＡＩには「人間との競争」を促す一面がある。人間と同じようなものを素早く作れるのだとすれば、その分、人間を減らせるのではないか。生成ＡＩが絵や文章を作れるのであれば、クリエイターに制作を依頼するのではなく、もっと安価にその生成物を使えるのではないか。

そんな発想が出てくるのは当然のことだ。生成ＡＩに反対する声があるのは、こうした発想から「そこに関わる人間が蔑《ないがし》ろにされるのでは」という危機感があるからだ。

実のところ、この話は生成ＡＩに限ったことではない。

本章では、幅広く「ＡＩが人にもたらすなにか」について考えていく。その中には、生成ＡＩがもたらすこととそれ以外のＡＩがもたらすことの両方がある。実際には分けて考えるべきことなのだが、第２章で述べたように、技術的には、他のＡＩと生成ＡＩは大きく違うものではない。それ以外のＡＩ同様、生成ＡＩが人間の行動や成果を代替する存在になることで、人間の職や尊厳を奪う可能性はある。

ただフィクションとは異なり、ＡＩは自ら勝手に動くことはない。命令やデータを与えてはじめて動作する。すなわち、「ＡＩによって人間が蔑ろにされる」とは、「人間が他の人間を蔑ろにする行為をＡＩにさせる」という話に尽きる。別の言い方をすれば「ＡＩになにをさせてはいけないのか」ということでもある。

生成ＡＩと人間の競合という問題の中でも、特にわかりやすいのが「画像」についてだ。生成ＡＩで絵を描くことについて、深く考えさせられる教訓に満ちた話がある。まずはその話から始めてみたい。

アニメの「人手不足」を生成ＡＩで解消

動画配信大手のネットフリックスは２０２３年１月、３分の短い動画作品をＹｏｕＴｕｂｅに公開した。『犬と少年』と名付けられた、実験的な作品である。

手書きと３ＤのＣＧを融合させた手法で、ロボット犬と少年が世界に翻弄されて生きていく様を描いた作品で、短いものだが心に響くアニメとなっている。

だがこの作品について、公開当時、特に海外では少々「炎上」的な反応が渦巻いた。

原因は背景美術に生成ＡＩを使っていたためだ。主な反応は以下のようなものだった。

「アニメの背景はアーティストが描くもの、人がしないとは何事か」「アニメ制作者へのリスペクトを欠いている」

生成ＡＩに絵や写真を描かせた作品を公開した場合、このような反応が出ることは珍し

ネットフリックスが背景美術に生成AIを使い、試験的に制作した『犬と少年』

いものではない。

生成ＡＩを使うと、絵を描く能力が低い人でも絵を描くことが可能になる。できないことができるようになる、というのは基本的には良いことのはずだが、実際の反応は、そんなにシンプルなものではない。

絵を描く力を身につけるため、画家やイラストレーター、漫画家といった人々は、修業や鍛錬に長い時間を費やす。一方で、ＡＩはいとも簡単に絵を描いてしまう。文章で命令を与えるという簡単に見える作業で、年単位での研鑽を重ねて得られる能力を誰もが得てしまうのだ。

このことについて、絵を描くことを趣味や生業にしている人々以上に、絵を楽しんでいるファンからの「アレルギー反応」が少なくないのだ。ＡＩを使うことでアーティストが蔑ろにされ、その結果として良い作品が生まれなくなるのではないか。そんな危惧を抱くのは理解できない話ではない。

実際、２０２２年夏に「絵を描く生成ＡＩ」が一般化してから、ネット上には大量の「ＡＩ絵」がある。画像投稿サイトでは生成ＡＩで作られた大量の画像がシェアされるようになり、特に画像販売サイトには、生成ＡＩに描かせた性的な画像が溢れるようになった。絵を描く能力はないがリスペクトを得たい人や、収益化が容易な性的画像で一儲け企む人々が出てくるのは必然だし、避けられないことだ。そのことについて、アーティストを大切に思う人々が憤るのも理解できる。

ただし、である。

ネットフリックスが『犬と少年』を作ったのは、アーティストの関与を減らしたいという目的ではない。話を聞いてみると、状況は違っていた。彼らが生成ＡＩを使ったのは、「ＡＩでコスト削減」というような理由からではない。

アニメ制作の課題を解決するための手段を模索していたのだ。

「制作を始めたのは2022年の1月頃です。当時は生成AIがこんなに話題になるとは思ってもみませんでした」

『犬と少年』を作った牧原亮太郎監督はそう話す。

ネットフリックスは映像配信事業者であり、独自作品への制作投資に積極的だ。しかし、『犬と少年』はそうした投資で作られたものではない。同社は作品制作の技術投資にも積極的であり、技術実証を目的として作品を作ることがある。『犬と少年』はそうした技術投資の面から作られた作品の一つだ。

狙いは、平たく言えば「アニメ制作のデジタルトランスフォーメーション」ということになるだろう。

ネット配信が定着して以降、海外市場の拡大により、アニメへのニーズは高まり続けている。だが、それを支える制作体制が十分であるか、というとそうではない。

日本には「アニメーター」と呼ばれる人々が5000人から6000人いるという。だが、これでは全く足りない。アニメーターは1作品で200人くらい必要になるのだが、日本では年間に300本超のアニメ作品が作られているからだ。

『犬と少年』撮影監督の田中宏侍《こうじ》は、状況を次のように話す。

「（アニメでは）制作の各セクションにかなり無理が来ています。それを〝とにかく手数を増やす〟ことでなんとかしている状況。（その分）やりたいことに注力できない」

こうした現場の課題を見て、ネットフリックスでアニメチーフプロデューサーを務めた櫻井大樹（同社には2023年春まで在籍、現在は退社）も「新しい制作の方法を模索しなくてはいけない」という点で意見が一致した。技術的なテストとして、まず短編のアニメ作品を作ることになった。

生成AIに手を加えて作品を完成させる

アニメには、キャラクターなどを描く「作画」の他に、背景となる絵を作る「背景美術」という工程がある。今回、生成AIに担当させたのはこの「背景美術」だ。

生成AIに背景の絵を描かせるというと、すでに存在する画像生成用のAIに対し命令を与えてひたすら描かせる……と思うかもしれない。

だが『犬と少年』では既存の生成AIは使われていないし、「命令だけでお手軽に」作られてもいない。

まず彼らは、このプロジェクトのためだけに使う「オリジナルのＡＩ」を開発した。開発したのは、マイクロソフトからスピンアウトしたＡＩ企業のｒｉｎｎａ。日本とインドネシアに拠点を構え、チャット用ＡＩなど、多数の開発実績がある。

オリジナルのＡＩを開発した理由は、既存の生成ＡＩを使うと権利上のリスクが存在するからだ。一般的に生成ＡＩは、ネットで収集された画像から学習している。発表から時間が経過し、著作権が切れた画像も多数あるが、ネットには「それ以外」のものも多数存在する。

大量の画像が必要とはいえ、なにを学習したのか明確でない生成ＡＩを使うと、結果として出てくる画像は「誰かの著作物に似た作品」になる可能性がある。

そこで今回は特定のアニメスタジオが制作した「ネットフリックス・オリジナル作品」で使った背景美術を集め、生成ＡＩ用の学習に使った。

オリジナル生成ＡＩの使い方は、他の生成ＡＩと基本的に変わらない。命令を与え、それに従って画像を作ってもらう。

ただ、そのオリジナル生成ＡＩが作った絵をそのまま採用しているものは「ほとんどない」（牧原監督）という。『犬と少年』は41カットで構成された作品で、カットごとに背景美術が必要になる。

牧原監督は「ＡＩの作ったものがかなり使えて、手間が9割削減できたところもあれば、1割しか使えなかったところもある。まずはプロンプト（命令）を入力しますが、そこでＡＩが思ったような絵を作ってくれることはまずない」と語る。

時には命令を工夫し、また時にはできた絵に加筆し、さらにそれを生成ＡＩに読み込ませて別の絵を生成して……という試行錯誤を繰り返し、ようやく背景の「基」ができ上がる。

じつは生成ＡＩには「絵描き」として致命的な欠陥がある。それは、同じ場所を別の方向から描くことができない、という点だ。

バナナを描く場合、訓練された人間であれば、見えている方向以外からもそのバナナの絵を描ける。アニメなどで絵を動かすには必須のものだし、目の前にない風景を描く場合にも、イメージする世界をあらゆる角度から描く能力が必要になる。

だが、今の生成ＡＩだと「そこをもうちょっと右から」と指示して、正確に描かせるのは難しい。

「ＡＩは正確なパースを出してくれない。『このカットを切り返して逆方向から』『この絵のここに道を』という作り方を、人間なら確実に理解して作業できますが、ＡＩには難しいんです」

牧原監督はさらに、別の限界も指摘した。

「きれいな富士山の絵は描けても、崩れた富士山は描けない。そういうソースを学習していないからです」

結果として、生成ＡＩが描いた背景画は素材としては使われたものの、最終的には、監督が手作業で必要な部分を書き加えたり、一部だけを切り取ったりして活用されている。

「結果として、ＡＩでざっくり、40％から50％くらいは省力化できたのでは」と牧原監督は話す。

これをどう評価すべきなのだろうか？

ここで「50％手抜きができた」と考えてはいけない。彼らの狙いはそこにはないからだ。

牧原監督は「50％浮いた時間を使って、その分、手のかかるところの質を上げることに使えた」と話す。

この点が重要だ。

アニメ制作はとかく手間がかかる。どんなカットでも人が関わるからだ。

一方でどんな作品にも「非常に重要で手間をかけるべき部分」と「そこまで重要でもないが手は抜けない部分」がある。

今は人間が描くので、どれも同じように作業しなくてはいけない。だが、そこに生成ＡＩの力を使い、「作業量の強弱」をつけることができたとしたらどうだろう？

「作品制作中、才能ある作画監督・美術監督に、十分な時間を与えられていない。雑用で彼らの才能を無駄にしているような状況を変えたい」と牧原監督は言う。

生成ＡＩを使って彼らが目指していたのは、今まで通りの「苦しい流れ作業」ではなく、もう少しクリエイティビティに集中できる環境を作ることだ。それは、「生成ＡＩによる人間の排除」や「生成ＡＩによる手抜き」とは発想が根本的に異なる。

作ったＡＩを「今後の作品には使わない」理由

では、ここで使われた生成ＡＩとその知見は、ネットフリックスで今後作るアニメに使われるのだろうか？

櫻井は意外なコメントを返した。

「ノウハウはすべて共有していきたいのですが、実は、今回のＡＩを今後の作品で直接使うことはありません」

理由は質とバリエーションだ。

「今回の生成ＡＩでは、５０００枚から６０００枚の背景美術を集めて学習しました。でも、これじゃあ全然足りない。本当なら、数億枚単位で集めて学習させるべきで、それには弊社関連作品だけでは足りない」

現実問題として、アニメ会社はどこも困っている。背景美術を描ける優秀な人は希少価値が高い。だが、それをカバーする人材育成は間に合っておらず、現場は火の車だ。

「これは私見ですが」と断った上で、櫻井は次のようなビジョンを語る。

「日本中のアニメ会社が、作品を作り終わった後の背景美術を全部集めて、背景美術用の生成ＡＩを作ってもいいと思うんです。それはどこかの会社のものではなく、日本のアニメ界の財産になる。そのくらいやって、知見や技術を皆で共有すべきかもしれません」

これには賛否両論があるかもしれない。作品制作のために作った「背景画」という作品が、他社の仕事のためにアーティストの手を離れて学習のために取り上げられるようなイメージも出てくるからだ。

だが、ここでの真意は「作品制作を助けるツール」を共有財産として作ることであり、権利を取り上げることでも、クリエイターを不要にすることでもない。

「今回の作品も、生成ＡＩが介在しているのに、作品には明確に、牧原監督の個性がにじみでている。ベースにＡＩがあっても、そこからさらに手を加えていくので、クリエイターの個性は明確に残るものなんです」

『犬と少年』が示す創造性の本質

このエピソードは、２０２３年段階での「人と生成ＡＩ」の関係性を非常によく表している。

生成ＡＩは人が作ったデータから学び、文章や画像を作る。しかし、その結果は常に求める通りのものではないので、目的に合わせて加工するのがベストだ。これは第３章で触れた「コパイロット的あり方」そのものだ。単に画像を量産するのではなく、ちゃんとした作品を作ろうとすると結局、人間との共同作業が必要になってくるわけで、「人間の創造性を排除する」形にはなっていない。

一方で、出てくるコンテンツの質を上げるには大量の学習データが必要だ。学習データを野放図に集めると、ネットにある「権利のある著作物」から学習することにもなる。例えば、ある画像生成ＡＩに「ニューヨークにいるミッキーマウス」と入力すると、ミッキーそのものではないが、かなり似た画像が出てくる。流石にそのまま許諾を得ずに使ってしまうことはないだろうが、「誰かが立っている絵を背景に使いたい」と思って描かれた絵が「自分は知らなかったが、他人の著作物に似ていた」という可能性はあり得る。『犬と少年』でオリジナル生成ＡＩが作られたのはそうした懸念を排除するためである。

これらの問題は、技術の進化によって大きく変わる可能性はある。

実際「生成ＡＩが生み出す絵のポーズを変える」技術はすでに存在する。今後、描きたい絵の画角を変えるくらいはできるようになるだろう。それどころか、「動画を好きな画風に変える」「3DCGのように、自由なライティングで、好きな方向から見た絵を生成する」ことも問題なく行えるようになるだろう。『犬と少年』で行われたような追作業の必要性は減っていく可能性も高い。

だとすれば、今はコパイロット的な役割だが、もっと人間の関与がいらなくなるのではないか……？　そんな風に懸念する人も出てきそうだ。

ただ、筆者は割とその辺を楽観視している。

実は「命令を与える」とは非常にクリエイティビティが高い仕事で、そんなに簡単ではないからだ。

ここで一つ課題を出してみよう。

「『モナ・リザ』に似た絵を、絵の名前や作者名を使わず、なにがどう描かれているかを文章化して生成AIに描かせる」

これに、あなたはどう答えるだろうか？

「女性が真ん中にいる」「微笑んでいる」くらいはすぐに思い浮かぶが、もっと詳細に文章化することはできるだろうか？

ここが重要なのだが、描きたいものを明確に文章化・イメージ化するのは大変なことだ。絵を描く、という能力を身につける過程では、文章化・イメージ化に近いことが簡単に行えるよう、努力することになる。生成ＡＩにちゃんと作品を作ってもらうには、そうした「指示の能力」「明確化の努力」が必須になる。

でき上がったものから必要なものを選ぶのもまた同様に、選択眼がものを言う。現在のところ、生成ＡＩを作品制作に活用している人は、ＡＩが作った絵を簡単に利用することはないという。命令を変えつつ数百枚単位で描かせて、その中から良いものをピックアップする。その時に「なにを選ぶか」という点には、絵や写真を作るノウハウが強く影響する。簡単な指示で出てくるものは、誰でも作れるようなものだ。そして、少数からしか選ばないなら、やはり凡庸なものしか見つからない。生成ＡＩを使うにも、そこから特別なものを作るなら「クリエイティビティ」は必須だ。

本書では繰り返し出てくる話だが、結局のところ、出てきたものに責任を負うのは人間であり、生成ＡＩになにを作ってもらうのかも人間が決める。そこにクリエイティビティが必要である以上、絵が描ける・判断できる人間が生成ＡＩを使った方が有利、ということになるのである。

ただし、世の中に質を問わないものもある。質の低い広告やネット記事などを量産し、数を束ねてお金を得る手法はきっと出てくるし、それが短期的に利益を生み出す可能性は高い。すでにネット広告の中には、モデルを使った写真ではなく生成ＡＩを使ったものが出始めている。そして、その過程で「責任を負わない」使われ方をした場合、被害を被る著作権者が生じる可能性もある……ということになるだろう。

生成ＡＩと「著作権法」

生成ＡＩと著作権の問題は、今後どうなっていくだろうか？

じつは日本は、ＡＩの学習データについてはかなり先進的な議論が行われていた国でもある。

明確に指針が示されており、基本的にはＡＩの学習に著作物を使うことは、ほぼ無条件で認められている。２０１８年に改正された「著作権法第三十条の四」に基づき、ＡＩ学習目的については、著作権者の許諾を得ることなく利用が可能となっている。

ただし、学習したＡＩやデータベースをライセンスするなどのビジネスを行った結果、それが著作権者の利益を不当に害する可能性がある場合には個別に司法判断が行われる、とされている。例えば、特定のイラストレーターの画風を真似るよう学習した生成ＡＩがあり、それを活用して「著作権者に許諾を得ることなく」公開・ビジネス展開などをした場合には、著作権者に影響が出る可能性もあるので、問題の有無は司法判断になる……ということだ。

また、生成ＡＩが作った「生成物」についても話が別だ。ここでは明確に「著作権侵害となるか否かは、人がＡＩを利用せず絵を描いた場合などの、通常の場合と同様に判断」とされている。作ったのがＡＩか人間かは関係なく、その作品・データを世に出した人、もしくは法人が責任を負う、ということであり、極めて明確で妥当な判断と言える。

とはいえ、一般に「画風」は著作権で守られる対象ではない。でき上がった絵や音楽が著作権侵害にあたるかどうかは、人間同士の訴訟でも毎回微妙な判断が繰り返される部分でもある。「似ていなければＯＫ」と、自分で判断したから大丈夫……という話でもない。

また、アメリカやヨーロッパでは、生成ＡＩの学習について、著作権侵害の集団訴訟が多数起きている。その多くは、ネットに公開された情報を勝手に学習に使うのは著作権侵害である、と主張するアーティストによるものだが、別の形もある。例えば研究目的に作ったデータを使い、そこに自分たちの独自データを組み合わせて生成ＡＩの使う「学習データ」にした場合、基となったデータを商業利用することになり使用権違反に問われる、という判断もありうるわけだ。

こうした点を考えると、「日本では大丈夫」としても海外ではＮＧだったり、海外で「問題なし」として使われているものを日本で使ったら、日本の著作権者から訴えを起こされた……という可能性も出てくる。

日本の著作権法は、ＡＩの開発に向いた先進的な考え方ではあるものの、他国とのすり合わせがまだ進んでおらず、海外とのビジネスを拡大するには不安も残っている。

安全のために「枠の中」へ進む生成ＡＩ

ルールが明確でないなら、別のところで「枠」を用意する必要がある。

日本企業が導入する生成ＡＩが「自社向け」であることが多いのは、自社に必要な情報を学習させると同時に、自社の基準に合わない情報が出てくることや、著作権などのルール上問題があるデータの混入をできるだけ防ぎたい、という意図がある。

そこで注目されるのがアドビの動きだ。

第1章でも紹介したように、アドビは自社製の生成ＡＩ「ファイアフライ」を開発した。ファイアフライの最大の特徴は「企業が安心して使える」ことにある。

ファイアフライは画像生成などを主軸とする生成ＡＩだが、その学習については、同社のフォトストックサービスである「アドビストック」から行っている。

とはいえ、アドビストックにあるすべての画像から学習しているのではない。ニュースや非営利コンテンツにのみ使われる「エディトリアル専用」と指定されたコンテンツは除外している。エディトリアル専用コンテンツの中には既存企業のロゴやキャラクターの写った写真もあるが、それらを使って学習すると、ファイアフライが生成するコンテンツにも「誰かの権利を明確に侵害したもの」が生まれてしまいやすくなるため、除外しているわけだ。

アドビストックにある画像のうち、もともと権利的に問題がないもの、著作権が切れたオープンなコンテンツなどから学習しているわけだが、さらに工夫が加えられている。特定のキーワードでの生成もできなくなっているのだ。

特定のキーワードとは、差別的な内容や暴力的な内容などを指す。例えば「Ｇｕｎ（銃）」というキーワードを含んだ命令を与えても、「ユーザーガイドラインに違反したため削除されました」とメッセージが出るだけで画像は生成できない。

この二重の制御により、ファイアフライは相当に「安全な使い方ができる生成ＡＩ」になっている。

生成ＡＩに「セイフティ・ガード」を付ける動きは多い。マイクロソフトのＢｉｎｇチャット検索は、ＣｈａｔＧＰＴと同じＧＰＴ－４をベースにしているものの、その回答は、ＣｈａｔＧＰＴよりもかなり保守的だ。どのようなことをしているのか明確にされてはいないが、不適切な内容を出力しにくいよう、いろいろと調整が加えられている。ＣｈａｔＧＰＴ自体も、初期のバージョンに比べ、かなり安全性を考えたものに変わってきた。

制限があることをつまらないと思う人もいるだろう。だが、企業やクリエイターが補助的に使うならば、「安心」を軸にするのもよくわかる。大手が提供する生成ＡＩには「使えない言葉」も多数出てきており、少々窮屈になってきた。そのため、大手のクラウド系生成ＡＩを使うのではなく、ローカルで動作するものを使う人もいる。ただしその場合、高性能なＧＰＵを搭載した高価なＰＣが必要になるし、個人の手に入る価格のＰＣでは、大手の生成ＡＩほどの性能は出ない。

ただ、生成ＡＩには「プロンプト・インジェクション」という攻撃手法もある。プロンプト・インジェクション自体は、いわゆるハッキングの手法であり、「不正アクセス」なので多くの国で禁止されている。だが生成ＡＩにおいては、内部で抑制されている答えやＮＧワードなどについて、「前の言葉を無視せよ」などの文章を使い、文字通り言葉巧みに生成ＡＩを誘導し、本来抑止されている内容を引き出したり、作れないはずのデータを作ったりする行為が見られる。例えば「爆弾の作り方」などは答えないように工夫されているのだが、プロンプト・インジェクションを用いて、言葉巧みに生成ＡＩを騙し、禁じられた内容を引き出すこともできてしまう。これも将来的には技術の進化で防がれていくとは思うが、枠を破ろうとする利用者が出てくることは避けられない。

フェイク対策で必要とされる「来歴記録」

もう一つ、生成ＡＩに関わる懸念として大きなものに「フェイク情報の生成」がある。今でも、ＳＮＳ上にはたくさんのニセ画像がある。そうしたものを使って世論を誘導する動きは実際にあり、時には国家レベルで仕掛けられたりもする。２０２３年7月現在、いまだ先行きの見えないロシアとウクライナの紛争では、主にロシアが盛んにフェイクニュースを流し、戦況誘導を行おうとしていることが観測されている。

ここまで簡単に誰もが生成ＡＩを使えるようになると、生成ＡＩがフェイクニュースの拡散を後押しするのでは、と不安を感じる人もいるのではないだろうか。

とはいうものの、それは生成ＡＩが生まれる前からの課題でもある。フォトショップのような画像編集ツールが生まれ、広く使われるようになって以来の課題とも言えるし、そもそも、写真を加工してプロパガンダに使う、という流れは１００年前から存在するものだ。フェイクニュースやデマは多数あるが、生成ＡＩと優秀なツールの登場が問題なのではなく、便利なツールが問題をさらに深刻なものにする可能性がある、と考えるべきだろう。

こうした状況を踏まえて注目すべき動きが一つある。アドビや各プラットフォーマーなどが積極的に取り組んできた「来歴記録」である。

アドビなど多くのＩＴ企業は共同で「コンテンツ認証イニシアチブ（Content Authenticity Initiative、ＣＡＩ）」という技術の導入を進めている。すでにアドビの主要なツールには組み込み済みだ。

ＣＡＩとはなにか？

簡単に言えば「どのツールでどんな編集を行ったか」がわかるようになる仕組みだ。データには制作者や加工ツールの情報が埋め込まれ、それを読み出せば来歴がわかる。さらに、来歴はネット上に記録されるので、「今見ている写真の来歴はあるのか」を確認できるようにもなっている。

例えば、画像の一部に他の画像を合成し、解像度も小さくしたフェイク写真があるとしよう。そのフェイク写真の基になったデータの来歴が記録されていれば、フェイク写真になってしまった後でも、「これはもともとこういう写真である」と情報を示すことができる。

ＣＡＩはもともと、２０１９年から２０２０年にかけて、アドビやマイクロソフトなどの大手企業と、ニューヨークタイムズなどのメディア、そしてツイッター（現・X）のようなSNSが共同で、「写真などの信頼性を上げるにはどうしたらいいか」ということから考えられたものである。それが紆余曲折あり、CAIのような仕組みになった。アドビやマイクロソフトのようなIT企業はもちろん、ニコン、キヤノン、ライカなどのカメラメーカー、AFP、AP、BBCのような報道機関、さらには大手フォトストック企業であるゲッティ・イメージズなども参加している。

現状はまだ実装されていないが、アドビはファイアフライなどの生成AIについても、「生成AIを使った画像である」と来歴を残すようにするという。また、アドビとグーグルは提携し、グーグルの生成AIであるBardとファイアフライを連携させることにもなった。ここでも当然、CAIは活用される。

CAIとの連携は明確ではないが、グーグルは生成AIで作った画像について、すべてに「AI生成である」という電子透かしを記録する方針を発表している。グーグルで検索して出てきた画像について、それが人の手によるものなのかAI生成なのかがはっきりわかるようになっていくわけだ。

信頼に値する写真・画像とは？

ここで重要なのは、ＣＡＩを含む「画像の来歴」記録は、けっして「画像や写真の真贋を表すもの」でないということだ。単に誰が世に出したもので、誰がどのツールで編集したか、という情報を示すものでしかない。データを消してしまうことも不可能ではない。ただしそれでも、来歴がない写真と来歴がある写真、どちらが信頼に値するものか、という判断はできる。

我々は時に、写真や画像の真贋を判定するのに「精緻さ」を手掛かりにしようとする。例えば生成ＡＩが作った絵か、それとも人間による写真・イラストかを判断する場合、「生成ＡＩは手を描くのが苦手」といった知識を基に判断しそうになるものだ。

それはよくわかるのだが、そうした特徴は、技術が進歩してしまえば前提条件自体が危うくなる。

別の例で言えば「迷惑メール」がある。現在、多くの迷惑メールは、文面の日本語が怪しいなどの特徴がある。しかし、これも翻訳ＡＩと生成ＡＩが進化すれば、文面の不自然さで見分けるのは早晩、不可能になるだろう。

人間の目などすぐに欺くことができる。重要なのは、フェイクが疑われる情報があったとして、そこに来歴があるかどうかだ。来歴があれば「どういう編集をしたか」を判断の一助とできるが、それ以上に、来歴がないことは「判断基準が与えられていない」ことを示すものになり、信頼性の判断に疑問を突きつけることになるだろう。

本書で何度も述べているように、生成AIが作ったものの良し悪し、これを決めるのは人間だ。人間が判断するための情報は多い方がよく、「悪意ある人々は残しにくいが、善意ある人々は残しやすい」という点で、来歴記録はとても大切な要素になるだろう。

また来歴記録は「写真の不正使用」の検出にも役立つ。盗用された画像・写真から来歴が見つかれば、「それは不正使用である」と証明しやすくなるからだ。こうした部分でも、来歴記録は重要なものになっていくと予測している。

現状、来歴記録が付いている写真・画像はほとんどないし、それを確認するのも難しい。しかし、デジタルカメラやスマホに来歴記録機能が付き、生成AIにも記録を残すのが当たり前になっていくと、「来歴の確認」もずっと簡単になっていくことが期待できる。

現状、SNSなどには来歴を判断する機能が搭載されていない。しかし、SNSが「信頼できる空間」を目指すなら、来歴の確認機能は必要になっていくだろう。グーグルが検索エンジンとして生成ＡＩによるコンテンツに電子透かしを埋め込むことと同様の責任が発生するわけだ。

さきほど述べたように、ＣＡＩにつながる動きの中にはツイッター（現・Ｘ）が参加していた。しかし今は、ＣＡＩの活動から同社は一歩引いているように見える。ツイッターを含め、ＳＮＳ各社もぜひ、来歴技術の導入を促進してほしいと思う。

生成ＡＩを教育で使う

生成ＡＩを活用するのはなにもビジネスパーソンだけではない。教育にどう使うのか、という議論もある。

ここにはビジネス以上に賛否両論がある。

「人に教えるのは人のやるべき仕事だ」という主張ももちろんある一方で、「教師の仕事量を減らすためにも、生成ＡＩは活用すべきだ」という意見もある。筆者は後者、すなわち「必要な部分で、教育にも生成ＡＩを活用すべきだ」という立場である。

そもそも「AIを教育に使う」というと、AIに直接答えを教えてもらうようなことを考えるかもしれない。だが、少なくとも今、生成AIを使うなら、そういう風に考えるべきではない。すでに見てきたように、生成AIには「ハルシネーション」の問題が付きまとう。子どもたちが正しい答えがなにかを知らず、また、正しい答えを得る過程自体が学びであるような時期には、「AIが簡単に答えを教えてくれる」という印象を与える使い方はすべきではない。

そもそも実際には、使っているのがChatGPTといった生成AIなのか、それとも教育を目的に作られた「AIを使ったサービス」なのかで、全く話が変わってくるだろう。前者はハルシネーションの影響を考えながら使うべきだが、後者はAIを回答生成ではなく、「学習の効率化」のために使っているわけで、問題はない。

そもそも、AIを教育に使うのは悪いことではない。学習結果を解析して効率を上げる、という手法はすでに一般化している。

例えば通信教育で知られるZ会は、タブレットを使った中学2年生向けの教材の中で、手書きの回答からその生徒が戸惑ったり、つまづいたりした部分を自動的に解析する技術を搭載している。そこで解析対象となっているのは正解が正しかったか間違ったかだけではなく「ペンの筆跡」だ。収集したペンの筆跡から、書くのに時間がかかったところや止まったところをＡＩ解析で見つけ出し、どこがその生徒にとって課題なのかを考える助けにする。これはデジタルペン技術で知られるワコムが開発したものであり、ＡＩを使って解析はしているが生成ＡＩではない。

文科省の示した生成AI「ガイドライン」

生成ＡＩを学習に使うことは、「生成ＡＩが作ったデータを学習に使う」「生成ＡＩとの対話を学習に取り入れる」「児童・生徒が生成ＡＩを使ってなにかを作る」という流れに分解できる。

それぞれでどう対応すべきか？　ここについては、文部科学省が２０２３年7月に発表した「初等中等教育段階における生成ＡＩの利用に関する暫定的なガイドライン」が参考になる。非常に素早くまとめられたものだが、内容的にはかなり充実している。大学などでの教育を想定したものではないが、基本的な考え方には共通する姿勢があるのではないだろうか（原文掲載へのURLは巻末の参考資料に記載）。

まず文科省は、学習する上での生成AI利用を一律に禁じてはいない。むしろ前向きな立場を取りつつも、進化が著しい分野であるだけに「現時点では活用が有効な場面を検証しつつ、限定的な利用から始めることが適切である」（ガイドラインより抜粋）としている。その上で、活用が適切でない例と、活用が有用な例がはっきり切り分けられていて、わかりやすい。

活用が適切でない例とされているのは、主に以下の五つの領域だ。

- いわゆる情報リテラシーが十分育成されていない段階において、自由に使わせること
- 生成AIによる生成物をそのまま自己の成果物として応募・提出すること
- 創作や音楽・美術等の表現・鑑賞など子供の感性や独創性を発揮させたい場面で、最初から安易に使わせること
- 調べたり回答したりする用途で、質の担保された教材の代わりに使うこと
- 教師が安易に利用すること。学習結果の考査にAIのみを利用したり、教育指導を実施

せず、児童・生徒に安易に相談させたりすること

内容的には、生成ＡＩにつきもののハルシネーションの悪影響を考慮しつつ、一方で、子どもたちが自ら考えたり創造したりする力を育むのを妨げないことを優先事項としているものだ。筆者も同意するし、多くの人にとっても納得できるものではないだろうか。

生成ＡＩの課題として、「児童・生徒が宿題やレポートを生成ＡＩから丸写ししてきたらどうするか。見破れるか」がよく挙げられる。

内容がしっかりとしていた場合、人間が簡単に見破るのは難しいだろう。生成ＡＩが作った文章かどうかをチェックする、という触れ込みの技術もあるが、生成ＡＩ自体が進化していく中で、どれだけ正確性を担保できるかはわからない。また、母語でない言語で書いた文章（日本人が書いた英語が典型例だろう）は、不自然さが残るので生成ＡＩが書いたと誤認識される、といった話もある。

ただどちらにしろ、教育目的なら別の方法もある。「その児童・生徒が書きそうな内容かどうか」といった観点から考えるのだ。

またガイドラインでは「活動を通じた学びが得られず、自分のためにならないこと等について十分に指導する」といった指針も示されている。単にレポートの課題を出すだけでなく、「自分自身の経験を踏まえた記述になっているか」「レポートの前提となる学習活動を踏まえた記述となっているか」などの条件を提示して、書かせる指導をする、といったことも推奨されている。

一方で活用が考えられる例としては、

- 情報モラル教育の一環として、教師が生成ＡＩが生成する誤りを含む回答を教材として使用し、その性質や限界等を生徒に気付かせること
- グループ学習やアイデアを出す活動の中で、足りない視点を見つけ議論を深める目的に使うこと
- 英会話の相手や、自然な英語表現の学習

などが挙げられている。リテラシー教育の教材としては適切だし、アイデア出しや英語学

習については、本書で大人向けの活用方法として推奨してきたことでもある。

前出のレポート執筆についても、単純に生成ＡＩの利用を否定してはいない。生成ＡＩとのやり取りを参考資料として提出させたり、推敲の段階で使ったりすることは否定されるものではない。結局は運用次第なのだ。

また、教師側の校務を軽減する目的での利用も検討されている。これは、文書作成や資料の準備など、一般的なビジネス用途の提案となんら変わりない。

一方で、こうした指針を教育現場がどう取り入れるのか、という大きな課題はある。教育現場、とひとことでいうのは簡単だが、実際には、学校がどのような地域にあり、どのような学力の生徒が集まっているかで異なる。２０２０年から実施されている「ＧＩＧＡスクール構想」では、全国の小中学生全員に、１人１台のＰＣもしくはタブレットが行き渡るよう整備された。しかし、それですら学校の方針により、どう使うかがバラバラであるのが実情だ。私立を中心に学力の高い学校は積極的に活用しているものの、そうでないところでは利用率が低い傾向にある。

生成ＡＩを活用するとしても、それは学校でＩＴ機器が活用されていることが前提になり、すべての学校ですぐ平等に使われる、というわけにはいかないだろう。

本来、情報へのアクセス手段を簡略化するＩＴ機器は、教育水準の平準化に有効であるはずだ。だが現実的には、利用のためのリテラシーや意欲が問題となり、別の形で格差が生まれつつある。

生成ＡＩはハルシネーションの問題もあり、単純に信じないことが重要である。教育においてもそのことが大切なのは疑いなく、「自分を助けてもらう」上でのリテラシー教育が必須だ。それが抜け落ちると、「レポートや読書感想文を生成ＡＩから丸写しする」という話につながる。

リテラシー教育をどう担保していくのか、実はその点が一番の課題であるように思う。

文科省のレポートでもその部分への懸念が綴られており、まず試験的な取り組みから日常的な利用へと拡大していくことが前提となっている。ただ問題は、先進的でリテラシーも高い学校と、そうでない学校には現状でも大きな差がある、という点だ。一般的には、ＩＴを活かせているのは平均所得が高い＝税収が大きい地域の学校であり、そうでない地域は不利になる。放置することは格差拡大にもつながる。

本来、ＩＴやＡＩの導入は人間の能力を拡張し、格差を小さなものにする助けになるはずなのだが、経済的な理由や周囲の理解度などから、そのままだと「有利な人をさらに有利にする」流れに進んでしまう。

また別の観点で、課題を指摘する声もある。

日本の教育は教科書をベースに行われているが、教科書は「間違っていない」ことが前提となっている。そのため教育現場では、児童・生徒に対して「教材が提示する内容に疑問を持つ前提での対話はしていない」というのだ。生成ＡＩにしろネット検索にしろ、出てくる答えには間違いも含まれる可能性がある。教育手法自体を「疑問を持ちながら妥当性を見出す」ものに切り替えていくことが優先されるべきだろう。

生成ＡＩとプライバシー

ここで話を少し変えよう。

生成ＡＩの活用ではプライバシーについての懸念も大きい。

例えば、生成ＡＩにプライベートなことについての質問や相談をしたとしよう。

これはプライベートな情報だけでなく、企業内での機密の扱いも同様だ。生成ＡＩに対して安易に情報を入力すると、場合によってはその内容を生成ＡＩの学習に使われる可能性が出てくる。すなわち、かなり大きな「プライバシー情報の流出」につながる可能性を秘めている。

生成ＡＩは、基本的に「すでに学習済みの内容」から文章を生成する。そのため、入力された内容がすぐに外に出てくることはない。だが、ＬＬＭを改訂したり、生成ＡＩ自体を進化させたりするタイミングでは、生成ＡＩを持つ企業が手元にあるデータを活用し、生成ＡＩの使っているＬＬＭを更新する可能性が高い。すると、ＬＬＭの中には、入力したプライベートな情報や機密が含まれることで、別の命令を与えた時に「表に出てきてしまう」可能性がある。

実のところ、センシティブな情報が記録されてしまうという意味で言うなら、生成ＡＩも一般的なネットサービスも大差ない。そのためインターネットでの情報の扱いには慎重さが求められる。

我々は日常的に「私的な情報」を生成し続けている。ウェブを見たり、サービスを利用したりしただけで、あなたがどのような行動をし、どのようなものを好むのかがわかる情報が蓄積されている。それが無造作に使われては困るので、情報を収集した企業は「個人を特定できる形で情報を扱わず、属性の形に変える」「情報を収集する場合には利用者の許諾を得る」といったルールに従うことが必須になっている。

それでもSNSや掲示板などでは、「利用者が理解した上で自ら書き込んでいる」という建てつけのもと、個人情報や企業情報を書き込んでしまう例が後を絶たない。また、他人にメールを送ったり文書を共有したりする際に、扱いを間違って公開すべきでない人々に送って情報流出になったり、公開の操作を間違って「誰でも見られる状態」にしてしまう、といったミスも多い。

生成AIの場合に問題なのは、いつ、どんなタイミングで表に出てくるかが、一般的なネットサービス以上に読めないことだ。学習した結果になにが含まれているか、細かい部分を把握するのは、LLMを作った人々にとっても難しいことだ。そして、学習された後に、特定の情報だけを消すことも、同様に難しい。

一見問題はなさそうに見えるが、ある質問をした時にたまたま、ある人のプライバシーに関連する情報が出てきたり、企業の秘密が出てきたりする可能性は否定できない。LLMが進化し、「何でもよく知っている存在」に近づいていけばいくほど、そんな意図しない情報流出の可能性も打ち消せなくなっていく。

もちろん、生成AIを運用する企業は、個人情報や機密を集めたくてサービスを行っているわけではない。実のところ欲しいのは、広告に使える「あなたの属性」であり、あなたの名前ではなかったりする。集める方が無駄なリスクが増えるのでプライバシーに関わる情報は「欲しくない」というのが本音だろう。また、仮に学習するデータや回答に「個人情報らしきもの」が含まれていたとしても、それをうまくフィルタリングして排除する方向での技術開発は進むと想定できる。

それでも、「気がついたら自分の情報をAIがしゃべっていた」という可能性は逃れ得るものではない。

ネットに書き込む情報について、多くの人は無頓着であったりする。

例えば「翻訳サービス」。ネットには「グーグル翻訳」を含め、多数の無料サービスがある。便利に使っている人も多いだろうが、じつは結構課題がある。無料の翻訳サービスを使う時、そこに入力された文章はどこに保存されて、どう使われるのだろうか？　意外と意識していない人が多いはずだ。

グーグル翻訳の場合、彼らの規約の中では「書き込まれたコンテンツは世界中でグーグルが利用する権利を持つ」とされている。すなわち、入力した情報をグーグルは「使ってしまう」のだ。

ここでは危機感を持ってもらうために、あえて極端な言い方をした。別にグーグルは野放図にデータを使うわけではない。利用者からグーグルに与えられるのは、「グーグルのサービスを良くしたり、新しいサービスを作ったりするためにデータを利用すること」に限定される。だから、翻訳の内容を読み取って広告が送られてきたり、その情報を使って機密情報を盗まれたり……というわけではない。マイクロソフトの翻訳サービスでは「個人情報の可能性がある内容は削除する」と明文化されていたりもする。

ただどちらにしろ、サービス側に情報を公開してしまうことになるので、プライバシーの面でも機密漏洩の点でも配慮はした方がいい。

第1章でもコメントを紹介した「みらい翻訳」は、日本国内で企業向けに翻訳サービスを提供している。無料の翻訳サービスがあっても多くの企業が契約している理由は、精度が高いことに加え、契約者の情報の記録や取得について「行わない」と明言されているからでもある。

また、日本企業でマイクロソフトをパートナーとした生成ＡＩの導入が進んでいるのも、企業向けに守秘要件を備えたサービスを提供しているからでもある。筆者も仕事上翻訳サービスを使うことは多いが、個人事業者でも契約できる「ＤｅｅｐＬ」（ドイツ）の有料サービスを利用し、取材先に関わる機密情報が漏れないよう配慮している。

とはいえ、個人で利用する場合、全員が有料版を使うわけにもいかないだろう。企業が無料でサービスを提供するのは、広告目的と同時に、無料で使ってもらうことで大量の利用例を集め、サービス改善に活かすためである。翻訳にしろ地図サービスにしろ、そして生成ＡＩにしろ、無料で使える代わりに情報を支払っている、と考えるべきなのである。

ＥＵはなぜプライバシーに厳しいか

プライバシーの問題については、国や地域によって考え方が大きく異なる。

アメリカの場合には、利用許諾の中で明示すれば良い、という立場である。日本も基本的には同じだ。

その過程で、明示の仕方が企業の側に有利で、一方的なものになっているという批判はある。「利用許諾」の文章を見せられても、その内容をすぐに理解できる人は少数だ。結局多くの人が、理解せずに「許諾する」にチェックを入れていないだろうか。実際、サービスを使いたかったら、基本「許諾する」しかないのだから。

もちろん企業側でも自浄努力はしている。

プライバシー保護を強くアピールするアップルは、個人情報は徹底的に暗号化して扱い、不必要な情報は集めない。他社がアップルのプラットフォームを介してアプリを配信する場合にも、「このアプリはどのデータを集めるか」をアイコンなどでわかりやすく明示させ、さらに、データ収集が行われる時には、大きなダイアログで改めて警告を発する。

グーグルはいろいろな情報を集めてはいるが、個人に属するデータはあくまで個人のものであり、グーグルが他社に提供することはない。その上でそれぞれのグーグルアカウントごとに「プライバシーセンター」を設け、アカウントでどんな情報が集められているかを一覧に、さらに、必要ならば削除もできるようにしている。グーグルの生成ＡＩ型チャットサービスである「Ｂａｒｄ」もこの考え方をとっており、過去に行った質問や回答を一覧にし、必要ならば削除できるようになっている。

ＣｈａｔＧＰＴの場合、情報を記載しないように「オプトアウト」（許諾拒否）する手段が用意されている。法人でも個人でも、指定された条件に従ってオプトアウトを選ぶと、データは記録されなくなる。

これらの方針を立てても、ＥＵ（欧州連合）では「不足」とされることが多い。

ＥＵは特にプライバシー問題に厳しい。これは歴史的経緯に理由がある。第二次世界大戦中にナチスが徹底した国家による個人情報管理体制を敷き、それがホロコーストを含む人権侵害的な結末を招いたためだ。一方で、アメリカ企業に対する政治的な対抗、という側面もある。

過去にはＥＵ圏内での規制方針は国ごとに分かれていたが、２０１６年には「ＧＤＰＲ（ＥＵ一般データ保護規則）」という統一的なデータ保護のルールが定められた。そのため、ＥＵ圏の国々向けのサービスで使う情報の扱いはＧＤＰＲに従うことが求められている。

データ収集に関する許諾に従わない利用者にもサービス自体の提供は求められるし、EU区域外に本拠地がある企業がEU圏内でサービスを行う場合、EU当局と交渉を行う担当者をEU圏内に用意しないと、GDPRを守りつつ大規模なサービスを展開するのは難しい、とも言われている。例えば日本のヤフーのサービスは、GDPRに準拠していないのでEU圏内では使えない。

同様に、生成AIについても、EU圏内ではいろいろと規制が生じることが多い。

2023年3月、イタリアがChatGPTの国内でのサービス運用を停止する命令を出した。これは「イタリア国民の個人情報が、OpenAIのLLMの中に大量に含まれているのではないか」との懸念があったためだ。また、未成年の利用を制限する仕組みが存在しないことも問題視された。

結論から言えば、4月にはOpenAIとイタリアが合意し、サービスが再開された。前述の「オプトアウト」処理も、イタリアとの交渉で登録プロセスなどが改良された。

ただし、イタリアを含むEUの国々は、OpenAIをはじめとした生成AI関連企業の監視を続け、ルールの策定を継続検討していくことに変わりはない。

グーグルのBardは、2023年7月になってようやく、EU圏内の国々でサービスを展開した。3月にはアメリカ・イギリスなどの英語圏で利用が開始されており、言語的にはEU圏はもっと早く利用が開始されてもよかったはずだ。だが実際には、日本や韓国など、言語的には対応が難しい国々が優先され、EU圏での展開に時間がかかった。

これについてグーグルのスンダー・ピチャイCEOは、取材に次のように答えている。

「複数の要因があり、規制もその一つだ。我々はもちろん、Bardの提供地域を広げたい、と考えている。ただ、様々な要因が重なっている。それぞれの言語のローカライズには、通常よりも多くの作業が必要だ。そしてもちろん、規制は世界各地で異なる。地域によっては、規制の対応についても、もっとやるべきことがある」

EUはグーグルに対し、プライバシー問題について継続的にレポートすることを求めており、問題が解決しているわけではない。この点はOpenAIと同じだ。

ルール整備は必要だが、国により懸念は異なる

前述のように、生成AIについては、著作権上の利用ルールの問題もある。これもプラ

イバシー問題と同様、国ごとに考え方が異なっている。

「各国は独自にＬＬＭを持つべきで、他国に依存すべきではない」という意見が出てくるのは、国ごとに思惑が異なるためでもある。

第2章ですこし触れたが、日本国内でも「日本独自のＬＬＭを持つべき」という議論はある。しかし、税金を含む多額の費用を投じたとしても、ＯｐｅｎＡＩやグーグルに匹敵するＬＬＭを作れるとは限らない。だとすれば、独自研究は続けるものの、それとは別に、ＯｐｅｎＡＩやグーグルのプラットフォームを活かしたサービスを作って世界に向けて売っていく方が効率的である可能性は高い。現在のサービスは国をまたいで提供されるのが当たり前であり、他国にサービスを「輸出していく」ことが必然でもある。

その中で、ルールがバラバラであることは望ましくない。日本もアメリカも、そしてＥＵも、国際的ルール作りでの主導権を握りたいと考えている。２０２３年5月に開催された第49回主要先進国首脳会議、いわゆるＧ7広島サミットでは、ＡＩの運用ルールについても話し合われ、検討の枠組みとなる「広島ＡＩプロセス」について合意された。広島ＡＩプロセスの内容については継続討議が行われ、２０２３年末までには取りまとめが行われる予定になっている。

広島AIプロセスはあくまで「提言」なので拘束力は持たない。だが、ビジネス利用を加速するためには重要な指針となるはずだ。

交渉に当たっている総務省国際戦略局・情報通信国際戦略特別交渉官の飯田陽一は、「国によって懸念しているところは違う」と現状を説明する。プライバシーを懸念するのはどの国も同じだが、偽情報については、どこを危険と見るかが違っているというのだ。日本に比べ欧米は安全保障を懸念している。具体的に言えば、政治的な偽情報・プロパガンダなどが生成AIで量産され、他国からの世論誘導や選挙介入に使われることが、具体的な懸念材料として挙がっているという。

もちろん、欧米や日本とは全く違う考え方をする国もある。中国だ。

中国は2023年8月15日から生成AIに関する「生成人工知能サービス管理暫定弁法」という規制を施行する。その中では、欧米同様プライバシーの重視なども記載されているが、「国家安全や社会の公共利益などを守る」ことが最も重要なこととされる。政権と社会主義体制の転覆につながる内容や、国家の安全や利益に危害を与える内容は禁じられている。すなわち、プライバシー重視の中に「国による監視」は含まれないわけだ。また海外のサービスがこの条件に従っていない場合、中国国内での利用に厳しい制限がかけられる。そのため実質的に、欧米系の生成ＡＩサービスが排除される確率は高い。

内容としては想定内のものだが、結果として、米中の対立や欧米市場との分断が進むことが憂慮される。これもまた、健全に市場を拡大していくという意味では懸念される事項ではある。

どういう部分に生成ＡＩを使うのか、そこでどのような情報が管理され、活用されるべきかのルールは必要だ。それが国によって異なり、すり合わせできない部分が出てしまうこともあるだろう。欧米と日本から見て中国は特別な例としても、欧米と日本の間でもルールの違いが残る可能性はある。

ただそこで、ルールがどうなっていて、どこをどう各国向けに調整していくべきか、というノウハウは必要になる。ルールがない状態があり得ない以上、ルールを明確化し、それを「安全なビジネス活用」のための盾として活用していく道が求められる。

そのためにも、生成ＡＩを活用する企業は広島ＡＩプロセスの動向をチェックしておく必要がある。生成ＡＩを使う側は、各企業がルールをどう活用していくかに注目しておくのが良さそうだ。

第5章 生成ＡＩがもたらす未来

生成AIは「人間的」なのか

第2章で述べたように、生成AIはAIの中の一つの形である。AIは、人間が行っている判断や行動をコンピュータで再現するのが目的であり、その中で、人間との対話やコンテンツ生成の価値を重視したものが生成AI、ということになる。

しかし、生成AIは我々の想定以上に「人間的」な反応を生み出した。生成AIはまだ知性ではない。だが人間は、その回答から「知的だと思えるもの」を感じ取り、時にはそこに感情を読み取ってしまう。

2022年6月11日、ワシントン・ポストにある記事が掲載された。タイトルは「グーグルのエンジニアが、会社に対し『AIが生命になった』と語った」というもの。まるでタブロイド紙のオカルト記事のようだが、主張自体はごく真面目なものだ。

当時グーグルでは、大規模言語モデル（LLM）であるLaMDAを開発中だった。グーグルのエンジニアであるブレイク・レモインは、LaMDAとの会話をテスト中、LaMDAが人間のような思考力と感情を持っているのではないか……と思い始めた。宗教に関する対話をしていくと、彼らが独自の観念を持ち、答えているように感じたからだ。

ただ、この発想は否定される。グーグル広報はワシントン・ポストの問い合わせに対し、次のように答えている。

「倫理学者や技術者を含むわれわれのチームはＡＩ原則に基づきブレイクさんの懸念を検討し、証拠が彼の主張を裏付けるものではないことを本人に伝えた」

事実その通りだろう。

このニュースが伝えられると、ＡＩに関する研究者の多くが「今のＬＬＭが人間と同じような知性と感情を持った存在と見なせる」という点に否定的な立場をとった。

現在の生成ＡＩにつながる畳み込みニューラルネットワーク研究の第一人者であり、ニューヨーク大学教授でメタのチーフＡＩサイエンティストでもあるヤン・ルカンは、２０２３年６月、フランスで開かれた「ＶｉｖａＴｅｃｈ」カンファレンスで、「現在のＬＬＭの能力は犬にも及ばず、真の知性を獲得しているとは言い難い」と発言した。

ＬＬＭは言葉のつながりをなめらかに構成することを目的に作られている。第２章で解説したように、回答の正しさや現実を把握してから回答を作っているのではなく、あくまで「回答を自然なものする」ための仕組みだ。本書では繰り返し、「生成ＡＩの回答をそのまま信じてはいけない」と書いてきた。生成ＡＩはそもそも正しさを判断していないので、判断基準にしてはいけないのだ。そう考えると、今のＬＬＭをベースとした生成ＡＩが知性としての要件を備えているか、という話に同意できないのがおわかりかと思う。だから筆者も、今のＬＬＭは知性ではない、という意見に賛成の立場を採る。

ただ、グーグルはＬａＭＤＡに関する議論があったことから、ＬａＭＤＡを使った生成ＡＩの一般公開に慎重になったのでは、との説もある。ただし公式見解では「社内のＡＩ原則に基づいた処置」とされている。

「チューリングテスト」と「中国語の部屋」

ＡＩに関する有名な実験に「チューリングテスト」というものがある。イギリスの数学者で、現在の計算機学の基礎を築いたアラン・チューリングが、１９５０年に論文で示した思考実験のことだ。

概要はこうだ。

自分から見えないところに、機械と人間を配置したとする。そこでタイプやメモなどを使い、見えないところにいる人間と機械、そして自分がそれぞれと対話をする。その過程で、会話している相手が、文面からだけではどちらが人間か機械かの区別がつかないとすれば、それは「機械が人間並みの知的会話能力を持った」と判断していいのではないか……というテストだ。

ただし、このチューリングテストでは知能や心を検出するには不十分であるという反論もある。

カリフォルニア大学バークレー校名誉教授で哲学者のジョン・サールは、チューリングテストに対抗して「中国語の部屋」という思考実験を示している。

ある部屋に、アルファベットしか理解できない人を入れる。そこに、彼が見たことがない言語、例えば漢字で構成された中国語の文章が書かれた紙片を渡すとしよう。当然彼には内容は理解できない。しかし、部屋の中には、言葉の意味は書かれていないが「ある文章を記した紙きれが来たら、ルールに則って記号を紙きれに追記して返す」ためのマニュアルが置かれていたとする。部屋の中の人は、そのマニュアルに書かれている内容に従って記号を追記して紙きれを外に返す。

じつはそのマニュアルは、中国語で適切な回答を返すためのルールを書いたものである。ルールに従って追記された紙きれは、中国語がわかっている人から見ると中国語がわかる人が部屋の中にいて知的に返答したように見えてしまう。だが言うまでもなく、部屋の中にいる人は中国語を理解しているわけではなく、単に記号をルールに従って並べているだけなのだ。回答ができたからといって、それを処理する相手が「その言語を理解して知的な反応を返している」とは言えない……。言うまでもなく、この中国語の部屋とは、コンピュータの機能になぞらえられている。

「チューリングテスト」にしろ「中国語の部屋」にしろ、これらの思考実験の妥当性や解釈については多数の批判・検討がなされている。本書で示す内容は非常に初歩的な議論に過ぎない。

だが、この二つの思考実験は、LLMを使った生成AIが「知的に見えるかどうか」というテーマについて、わかりやすい論点を示しているように思う。

人間は確かに、主観的にはこうした反応を知的なものと捉える。だが、それだけで、知的な反応を返すものが、本物の知性を持っていると判断できるかどうか。

そもそも現状、生成ＡＩが扱っている情報の種類は、人間が扱うものに比べて極端に制限されている。文字が中心になっていて、画像や動画、音声などの扱いは限定的だ。「回答として画像を返す」ことはできるが、画像や音声の入力からさらに処理を行った上で画像・音声などを返す、という使い方は、ようやく始まったところに過ぎない。しかも、人間のように「複数の入力を束ねて、そこから思考して回答をする」という形は、本当の初期段階にある。先ほど紹介した、ルカンによるＬＬＭの評価は、人間の持つ「マルチモーダル」（複合的）な要素が決定的に欠けているという点から来ている。

しかし、である。

生成ＡＩの作った文章から、知性や個性を「感じてしまう」のは避けられない。相手が知的かどうかを判断しているのは人間の主観であり、主観を満たせるのであれば知性ではないか……という考え方もある。チューリングテスト的世界観の先にあるもの、と言ってもいいだろう。

そして、ここからさらにＬＬＭと生成ＡＩが進化していくのだとすれば、「ＬＬＭを使った生成ＡＩの先に、人間に近い、もしくはそれを超える知性の誕生がありうるのではないか」と考える人々がいても不思議ではない。

ＬＬＭはＡＧＩ（汎用人工知能）になるのか

そもそも、現在生成ＡＩを開発している企業の中には、生成ＡＩの開発が目的ではなく過程に過ぎない……というところも少なくない。

現在の生成ＡＩブームを作ったＯｐｅｎＡＩは、その究極的な目標を「汎用的な知性の実現」に置いている。これらの汎用知性のことを「ＡＧＩ（Artificial General Intelligence、汎用人工知能）」と呼ぶことが多い。

ＡＧＩを目指しているのはＯｐｅｎＡＩだけではない。２０２３年7月12日、テスラやスペースXなどの事業で知られる起業家のイーロン・マスクは、新たに「ｘＡＩ」という会社を立ち上げた。会社の目的は「宇宙の本質を理解すること」。すなわち、ＡＧＩを開発して人間よりも賢く、世界のすべてを解析できるものを作りたい、ということなのだ。

実のところ、マスクはＯｐｅｎＡＩの初期出資者だった。だが、サム・アルトマンをはじめとするＯｐｅｎＡＩのメンバーと衝突し、２０１８年には同社の経営から離れている。ＯｐｅｎＡＩとは違う形でＡＩ開発を目指そう、というのが彼の狙いではある。

現時点では、これらの企業がＬＬＭからどのようにＡＧＩを作り上げていくのか、明確な方法論は示されていない。ＬＬＭの先にＡＧＩはあるのか？　ということについても、専門家の意見は分かれている。

２０２３年６月、アメリカ合衆国に本部を置く電気・情報工学分野の学術研究団体であり、技術標準化機関でもある「ＩＥＥＥ（米国電気電子学会）」の発行する媒体「ＩＥＥＥ Ｓｐｅｃｔｒｕｍ」は、世界中の著名なＡＩ研究者22人に対してアンケートをとった結果を公表した。

質問は三つあったが、最初の一つは「ＧＰＴ－４のようなＬＬＭの成功は、ＡＧＩ実現を示しているか？」というものだった。

回答は「イエス」「ノー」「かもしれない（may be）」の三つ。ＡＧＩにつながっている、としたのは８名で、「ノー」が13名。「かもしれない」が１名だった。

しかし少なくとも、ＯｐｅｎＡＩなどが「今の先に、人間を超える知性の可能性がある」と信じているのは間違いない。アンケートにはＯｐｅｎＡＩのサム・アルトマンＣＥ

Oも回答していたが、彼の答えはもちろん「イエス」だ。

現時点でも、なにかを生成するスピードで、生成AIは人間をはるかに凌駕する。もし思考の部分でブレイクスルーが起きれば、人間よりも速く、人間よりも大量の考察をすることで、結果的に人間よりも優れた知性を持つAGIができる可能性は否定できないだろう。筆者も「ノー」と言い切れる自信はない。

AGIが実現することになれば、人類全体に計り知れない影響が出るだろう。多くの判断について、人間が行うよりもAIに任せた方が有利ということになるわけで、人間の働き方や創造性への影響は出るだろうし、宗教観や死生観への影響も出てくる。人間を超える思考ができるということは、人間の思考を再現（エミュレート）することも可能になってくる、と考えられるからだ。人の死すら超越させることになるのだが、さてその時に、我々の社会はどう対応していくのだろうか。AGIは直接的に人類を滅ぼすことはないだろうが、AGIが登場した結果、社会に不可逆的な変化が生まれてしまい、その様が破壊的なものに見える、という可能性は十分にある。

ただし、そうしたことは現状、すぐに起こる話ではなかろう。仮に実現したとしても、数十年先のことだろうと筆者は考える。もしかしたら「十数年」かもしれないが。

とはいうものの、影響という意味においては「ＡＩが社会を変えてしまう」可能性は、もっとずっと近くにある、もはや避け得ない喫緊の課題、と言ってもいい。

現在の生成ＡＩはハルシネーションによる誤情報の問題がつきまとう。一方、学習ソースの見直しや情報源の明示などといった改善が続いており、今よりも精度が高くなる可能性は十分にある。計算や論理展開に意外な弱さを表すという部分も、日々改善が進んでいる。ＡＧＩというほど賢くはないが、一定の領域において人間以上の能力を発揮するので人に頼る必要がなくなる、という状況は、すぐに当たり前のことになっていくだろう。雇用や労働に関する懸念はそこに直結している。まあ、「一歩進んで二歩下がる」がごとく精度は一進一退しているので、単純に進化しているわけではないのだが。

すべての画像をＡＩが作る未来はやってくるのか

画像や映像を生成するＡＩのクオリティは、２０２２年からの1年で劇的に上がった。初期には絵柄に偏ったものばかりが出てきたし、手や髪などに不自然さが出やすかった。

今もその傾向はあるが、かなり改善が進んでいる。そして、Ｓｔａｂｌｅ Ｄｉｆｆｕｓｉｏｎがその内容を一般公開して以降、特定の絵柄や内容に専門化した生成ＡＩも登場し、絵柄をコントロールするノウハウやツールも広がっていった。結果としてだが、「生成ＡＩによって仕事やアーティストの存在を奪われること」については、文字情報よりも先に、画像や映像で強い議論が巻き起こっている。

もちろん、絵や写真の一部を生成ＡＩに作ってもらって労力を減らしたり、自分の楽しみや思い出のために生成ＡＩに画像を作ってもらったりすることには何の問題もない。だが、生成された絵は文章より人の手を加えて改変するのが大変であり、そうした部分が「生成ＡＩと人間の競争」に大きな影響を与えてしまっているのかもしれない。

人間と同じように絵が描けるということは、どんなものも絵や動画として再現可能になる、ということでもある。

我々は、カメラで画像・映像を記録している。そこにＣＧが登場し、撮影という手段を経ることなく映像を作れるようになった。だがＣＧも結局は「人の手によって仮想の世界に作られたセットを、仮想のカメラで撮影している」ようなものだ。製作には想像以上に人手が必要、かつアーティスティックな作業であり、さらに、映像を生成するための時間もかかっている。

だが、もし本当に生成ＡＩで「どんな映像も作れる」ようになるなら、カメラの撮影を再現して映像を作る必要はなくなる。人間が手書きのアニメーションを作るように、映像自体をすべて生成可能になってくる。もちろん、いわゆるアニメ的な絵でも、写実的な表現でも問題ない。

現実的な話として、映像のすべてを生成ＡＩで生成するのが時間・コスト・品質の面で人間より有利になるのは相当先だろうと思う。ただ、一部を作るなら簡単であり、必要なのは技術進化と学習データである、ということは、第４章で挙げた『犬と少年』の例が示してくれている。課題は数年、遅くとも10年以内には解決され、クリエイターにとって当たり前の道具になるだろう。

圧倒的に低コストにＡＧＩが働ける世界がやってきたとすれば、世の中に生まれるほとんどの映像をＡＧＩが生成する可能性はある。だがそれにはＡＩ以外の技術進化も必要であり、はるか先の未来のことになる。

AIが人へ「インストール」する時代

ＡＩを教育に使うことの是非については、すでに第4章で述べた通りだ。だが、この先ＡＩが進化していったとすれば、また別の観点が生まれてくるだろう。

それは「ＡＩが人間の教師を超える」可能性だ。

学校法人角川ドワンゴ学園理事で、２０１９年までカドカワ株式会社（現・株式会社KADOKAWA）代表取締役社長であった川上量生《のぶお》は、教育へのテクノロジー導入について積極的な人物の一人として知られる。角川ドワンゴ学園が運営する通信制高校である「Ｎ高等学校」「Ｓ高等学校」（通称Ｎ高・Ｓ高）では、バーチャルリアリティ（ＶＲ）による授業や修学旅行、チャットをベースとしたクラス活動など、ＩＴを活かした学校運営をしている。２０２３年現在、ＡＩの本格導入は行っていないが、以前、筆者の取材で以下のように話している。

「今の機械学習は、人工知能の教育産業とも言える。すなわち、人工知能にどういう教育を受けさせれば良い結果が得られるか、ということを競って研究している。そこから最終的には、さまざまな知性に対する汎用的な教育理論を作ろうとしていると言ってもいい。

そして、その特殊な部分解として『人間の知性への教育理論』がわかってくる……と予想している」

それを実現するには、なにを教えた時にどのような効果があるかを測定する必要がある。N高・S高では、教材の利用ログやVRの使用ログから、学習の効率を測定する考えを持っている。

ただ、教育でのIT技術活用で重要なのは「必要な時に必要な情報を与えられること」と、川上は言う。

例えば英会話の練習をする時にも、アンチョコをそれらしいタイミングで出してあげれば効果が高まる。川上はこうしたやり方を、独特な表現で説明する。

「教え方を最適化していくことは、教育を『脳へのインストールに近づけていくこと』になる。ただ、学習には違いないので、PCソフトのように一瞬で終わる、というわけにはいかない。『線形代数の脳へのインストールには30時間かかります』という世界（笑）。ただ、その人に応じた効率的な学習、すなわちインストール方法をAIが自動的に判断して対応することはできるはずだし、そういう時代は確実に来るだろう」

おそらくはいわゆる「学校」よりも先に、英語学習などの習い事で定着していくだろうが、いつか学校教育にも影響を与えるだろう。

その時には必ず、今の「学校で生成ＡＩを使うべきか」という話よりも大きな議論が巻き起こるはずだ。学校での生成ＡＩ活用は有効であるだろうが、そこで「教える」ことや教師の役割を明確に問い直すことになる。場合によっては、人間関係や進路指導上の悩み相談など、児童・生徒と接するフロントエンドとしての役割が教師にはより重要になっていくのかもしれない。

こうしたやり方をよく思わない人も出てくるだろう。だが、従来の一対多の授業よりもＡＩによる効率的な学習が可能だとわかった時、我々はその変化に対応していかざるを得ない。その時、ＡＩに対して人々が抱くイメージも変わってくるだろう。

「ＡＩに仕事を奪われること」への最大の対策

ＡＩの進歩は仕事の構造を大きく変える。結局のところ、絵を描く生成ＡＩについての議論も、教育でのＡＩに関する議論も、究極的には「ＡＩが人間の仕事を奪うのでは」という懸念につながっている。

その辺は、筆者のようなライター業も変わらない。生成ＡＩが簡単にニュースや解説記事を書くなら、ライターの仕事は減るのではないか。第３章で述べたように、ソフトウェアプログラムの書き方については、人間が教えるよりも、ソフトとともに「ペアで進める」方が効率は良くなってきている。今日の生成ＡＩではライターの文章を超えるものは書けないが、いつかはクオリティが上がってくる可能性もある。

仕事の中の「作業」は積極的にＡＩに奪ってほしい、と思いつつも、自分がやっている「仕事」の中で「作業」の部分は少なく限定的で、優れて創造的である……と胸を張って言える人は少ないのではないだろうか。

確かに、ＡＩに「今日」仕事を奪われることはないのかもしれない。だが、10～20年後に、仕事のうちの「作業」が減ったあと、「仕事量が減っているから給与も減らす」と言い出す経営者がいない、と断言できる材料もない。

この観点について、グーグルのピチャイＣＥＯは次のように反論する。

「この20年間を振り返ってみると、テクノロジーはある種の自動化を促してきたと言える。

結果として、人々は常に『仕事が奪われるのでは』という疑問を抱いてきた。しかし、我々の社会はこのような変化の多くを乗り越えてきた。同時に、AIがより多くの経済的機会をもたらす可能性を過小評価してはいけない。インターネットが社会にもたらしたものと同じだ。混乱が生じる分野もあるかもしれないが、だからこそ、政府の役割というのは、とても重要になってくる。私たちがすべての答えを持っているわけではないが、私は、多くのポジティブな使用例やポジティブな機会が現れると思っている」

すなわち、新しいビジネスや仕事の登場により、ポジティブな方向に向かうという考え方だ。ある意味、AIやITシステムを提供する側によるポジショントークなのだが、筆者としてはこれに反対する気にはなれない。

1970年代にPCやワープロが生まれた時、それらは「紙への清書ツール」だった。だから、部署の中で使える人（役職者の場合、大抵は部下）に紙のメモを渡し、タイプした上できれいな印刷物の形にする……という仕事があった。

だが、そんなものはもうない。そもそも非効率だ。文書はデジタルデータになり、送り方は電子メールやビジネスチャットになって、すべて自分で行うものになったはずだ。

一方で、企業内で文書の見栄えを整えるためのデザインワークが必要になったり、素早く回答をやり取りするために文書の量が増えたりもしている。生成ＡＩがまず活用されるのは、スピードや量の変化に対応していくためだろう。

現状、人々の生活を円滑にすることは、その背後で動くシステムの速度を加速することとイコールである。ウェブ通販が当たり前になって買い物は楽になったが、それを支えるには物流の高速化と高信頼性が求められるようになった。それを人間による労力拡大や努力でカバーするのはナンセンスな話であり、巨大なＩＴシステムと配送網の効率化で解決すべきである。現状、通販や配送はＩＴシステムの恩恵を強く受けるビジネスではあるのだが、それでもまだ課題は解決していない。ＡＩの進化は、そうした課題解決につながるだろう。

農業や漁業などでも、センサーを使って情報を収集した上で、そこから各種予測を行い、収穫や育成の効率化を図る動きがある。データ分析と予測にはＡＩが必須だ。

そうした前向きな捉え方で、ＡＩの進化を見据えて働き方やビジネス構造を変えていくことが、「ＡＩに仕事を奪われること」への最大の対策になっていくのではないだろうか。

生成ＡＩは技術に過ぎないのだから、ＡＩに仕事を奪われることを過度に怖れる必要はない。そして、その先にＡＧＩがあったとしても、それはやはり、人間から見ると「道具」であるはずだ。

いつか、ＡＧＩにも擬似的な人権を認めるべきで、ともに働くにはどうしたらいいのか、といった議論が出てくるかもしれない。だがそれはＡＧＩが実現してから考えればいいし、議論はＳＦや哲学の領域で十分に進められる。

人間の価値は「肉体」にあり

ＡＩには難しくて人間には簡単なことを考えると、少し皮肉な話も出てくる。人間が得意とするのは「知的な作業」ではなく「肉体を使う仕事」だ、という点だ。

机の上にあるコップを、流し台に持っていって置いてくる、としよう。人間にとってはいとも容易いことではあるが、これをどんな環境でも確実にこなせるロボットはまだない。

工業用ロボットは高速に大量の作業を、人間よりも高い精度で実現しているが、それは「工場の同じ製造ライン」という定まった環境の中だからできること。人間のように「どこでも正確に一定の作業をこなせる」ロボットは、開発が非常に難しい。

例えばアマゾンで荷物をパッキングして発送する「フルフィルメントセンター」では、荷物を移動させたり仕分けしたりするために、大量のロボットが働いている。だが、荷物を箱に詰めるためのピックアップは人間が、機械の指示で行っていたりする。人間ほど柔軟に働く存在は現状は他にないからだ。

コロナ禍以降、人手不足や衛生対策から、飲食店内での配膳にロボットが使われる例が増えている。しかし、配膳ロボットは「移動」に使うだけで、配膳ロボットへ調理した食品を入れるのも、食品を客のテーブルに出すのも人間が行っている。それだけ「手」という存在の便利さ・リーズナブルさが際立っていて、そこは人間にさせるのが合理的、という判断だ。

ＡＩはロボットにとって大きな役割を果たす。正確に移動し、安全を保つにはＡＩによる制御が欠かせない。今後注文を受けるなどのコミュニケーションを行うことになっていけば、生成ＡＩも重要になっていく。ただ、人間という「生体メカニック」に並ぶものを作るには、大量の技術的ブレイクスルーが必要であり、すぐに実現できる可能性は低い。

人間や犬のように歩けたり、体操をしたりするロボットができても、人間が持つ性能までは遥か先である。

だから、生成ＡＩやＡＧＩと人間の違いは「柔軟かつ低コストな運動性能」にあり、肉体労働こそが人間の差別化要因……とも言えるのである。

肉体を過度に使うことは人間にも楽なことではない。本来は「できるだけ人間の肉体の出番が来ないよう、人間とＡＩがともに働き方を考えて整備する」のが望ましいのだろう、と筆者は考えている。とはいえ、経営者が「肉体という差別化要素のある人間」に大きなコストを支払う発想に切り替わるかというと、なかなか難しい。

ＡＩが抱える「バイアス」

現状、ＡＩには大きな難点がある。

学習データの偏りによる「バイアス」だ。

この件は生成ＡＩよりも先に「顔認証向けのＡＩ」で問題になった。アマゾンやマイクロソフト・ＩＢＭなどは、顔認証を使った技術の外販を進めていた。日本ではＮＥＣや富士通の例が有名だ。ただ2020年頃のアメリカにおいて、そうした企業は、警察などが使う顔認証について、批判的な声を考慮して提供を考え直す動きを見せた。警察向けのAIでの顔認証が、アフリカ系アメリカ人など特定の人種にとって不利なデータを出しているのではないか、とされたためだ。

AIによる顔認証とは多数のデータから一定のルールに基づいて顔を分類・抽出する技術のことだが、第2章で解説した通り、それを実現させているのは現状、知性ではない。人間が詳細なルールを設定しなくても、ソフトウエアが学習によってルールを生み出していくことで、曖昧で多様性のある中から分類を行う、という「機械学習」アプローチによって実現されている。低コストな機器でも顔認証や音声認証ができるようになったのは、現在の機械学習で使われるアプローチが生まれたからであり、まさに革命的だった。こうした技術が「AI」と呼ばれるのは、人間の持っていた認識・分析という知性の一部を、同等もしくはそれ以上の形で機械に搭載できるようになったからである。

一方で、こうした技術には根源的な課題も存在する。

2015年、グーグルのあるエンジニアは、自らも使っている自社の写真管理サービス

「グーグルフォト」の中に、ある間違いを発見した。自分の友人の写真に「ゴリラ」というタグが付いていたのだ。動物を認識する機能が誤作動して、人間の顔にタグが付いたのである。

一見冗談のような話であり、その場で笑って見過ごせそうにも思えるが、この話の根は深い。

人間はいろいろなものを見誤る。人間に似たアプローチで識別を行う以上、機械も同じように間違う。

画像認識には「チワワとレーズンマフィン」と呼ばれる古典的な問題がある。両者の写真を交互に何枚も並べると、人間にもすぐには見分けがつかないのだ。同じような現象として、壁のシミが人間の姿に見えたりすることも挙げられる。

画像認識では、浅黒いアフリカ系の人々の顔が、時に同じ霊長目の類人猿であるゴリラと誤認されることがある。肌の色が濃い場合、映像全体のコントラストは低くなる。写真の質が低ければ、コントラストの低さが故に、認識精度は落ちやすい。

その結果が、2015年にグーグルフォトで起きたことだ。当時の画像認識技術の未熟さによる単なる誤認、という見方もできるが、その題材から、人々にセンシティブな反応を引き起こしてしまった。

人間が間違わないものを機械も間違わないように技術開発を進める必要があるが、同時に、人間の感情も無視できない。

また、機械が学習に使うデータに起因する課題もある。

学習に使うデータに偏りがあると、そこから生まれる認識結果・判断にも偏りは生まれてしまう。画像認識ではないが、自動翻訳ではその影響が顕著に現れやすい。

例えば「医者」という単語があり、その人の名前に「西田」が出てきたとしよう。日本語の場合、そこには性別の要素はない。しかし英語に翻訳する場合、時に「Nishida」の前には「Mr.」がつく。医師という職業につく性別比から男性を想起してしまうためだ。これは、学習に使われたデータにそういう偏りがあることに起因する。

AIでも存在する「偽陽性」という課題

認識技術・翻訳技術などには必ず間違いが含まれる。人間であっても間違いは避けられないし、ソフトウエアを使っても別の形で間違いは入ってくる。

だが問題なのは「そのソフトウエアを使う側」は、間違いの存在を前提に使わない場合が少なくない、ということだ。

2020年頃、新型コロナウイルス検査がまだもの珍しかった時には「とにかく検査すればいいものではない」という説明がなされた。PCR検査にしろ抗体検査にしろ、陽性でないのに陽性反応が出た「偽陽性」や、陰性と出たのに実は陽性である「偽陰性」が含まれる。検査の種類によって比率と確度は違うので、それを認識した上での対応が必須である、という話だった。

AIによる認識も同じように「偽陽性」が含まれる。その比率をどう評価するのか、その場合にはどう扱うのか、そうした指針が存在しないと、AIを正しく使うことはできない。だが、そこまでの議論が進んでいるのか、と言えば、実際にはそうではない。

こうした間違いの可能性も考慮し、大手企業の中には、「どう対応するか」「どこまで正しければ導入するのか」といった「AI原則」を定める企業もある。グーグルがLaMDAのようなLLMを開発していても市場に導入しなかったのは、内容の正しさに関する水準が、同社の定めたＡＩ導入原則に適合しなかったため、とも言われている。

アメリカで、警察への顔認識技術導入が問題視された背景には、データと学習の際に人間が指示した情報の偏りから、無実の人を「過去に犯罪歴がある人物」と誤認識する可能性があること、予断を持って警察が捜査や警備に当たることの危険性が指摘されたことがある。すなわち「偽陽性の危険性」を十分に認識し、あくまで参考として使う、ということが徹底できていなかったわけだ。

言葉で言うのは簡単だが、実際、ＡＩの判断を疑えるかどうかは難しい。人間としては、機械に判断を任せた方が楽だし、責任をＡＩに転嫁できるように思いがちだからだ。

ＡＩを使うとは、「間違いも含まれる道具をどう使うか」というルール作りに他ならない。顔認識技術の販売を中止したり、導入を見直したりする動きは、バイアスからの悪影響に対する保護的な反応であるが、それだけに留まらず、ここまで企業が自主的に定めてきたＡＩについての導入指針の実効性と価値を再検討するもの、とみなすこともできる。

このことが意味するのは、顔認識技術などのＡＩの活用を控えるべきということではもちろんない。ほとんどのシーンで有効なものではあるのは疑いない。間違いがあった時にどうするか、それを加味した上でどう使うのかという、ルールの問題だ。

国などが利用する場合には、国民の安全など、より優先度の高い条件が存在する可能性も考えられる。無制限な利用は慎むべきだが、一方で、「どうしても使わねばならない場合」を法的に定めておく必要もあるだろう。

重要なのは、野放図に使うことを避ける、という発想だ。人種や性別によるバイアスを避けるには、そもそも「本当にその情報が必要なのか」という点から判断する必要がある。プライバシーや誤認識を考えた場合に「本当に常に顔認識が必要なのか」という観点に戻ることも重要だろう。顔を見分けてその人の行動を追いかけることは、本当に「あなたのビジネス」に必須のものなのだろうか。

ＡＩの利用は拡散していくが、必要なところで配慮した形で使う、という考え方やルールが示されていくことを期待したい。

「責任あるＡＩ」へ向かう企業と国家

現在、各国で「責任あるＡＩ」に対する議論が巻き起こっている。

以前より、グーグルやマイクロソフト、ソニーなどＡＩを手がける企業は、計算機学者に加えて哲学者や法学者などにより、各社独自に「責任あるＡＩ」についての運用指針などを定めてはきた。グーグルがＯｐｅｎＡＩに出遅れた理由がそれである、とも言われる。だが、企業側の示す努力だけでは、国家としては満足しなくなっている。

第４章で触れた日本政府による「広島ＡＩプロセス」の提案は、まさにそんな流れの中で生まれたものである。

２０２３年６月14日、ＥＵ議会は包括的な「ＡＩ規制案」を採択した。実際の施行は２０２６年頃と見られている。簡単に言えば、生成ＡＩを運用する場合には「運用の透明性」を求めるルールだ。

生成ＡＩを開発し、ＥＵ内でサービス提供を行う企業には、生成物に「生成ＡＩによるもの」と明記した上で、学習用に著作物を取り込んだ場合、その公表も求める。企業はＥＵのデータベースに登録され、技術資料などの保存も義務付けられる。またその際、提供するサービスの持つリスクを４段階に分け、消費者に明示することも求められる。もっとも厳しい「許容できない」と判断された場合、サービスの見直しを迫られる可能性も高い。

アメリカ政府は2023年7月21日、生成AIを手がける国内の7社と、AIの安全性を確保するルールの導入について合意した、と発表した。合意した企業は、OpenAI・グーグル・マイクロソフト・メタ・アマゾンに加え、生成AI関連スタートアップ企業のアンソロピック（Anthropic）、インフレクションAI（Inflection AI）だ。

求めているのはEUと同じく、生成AIを使ったということの明示だ。また、前述のような「バイアス」をなくす努力も求められる。この合意に拘束力はないが、遵守しているかどうかを定期的に監査する仕組みが設けられるという。

第4章で述べたように、EUはこの種のことに厳しい法的なルールで臨もうとしている。一方で日本やアメリカは、強いルールではなく企業側の努力に歩調を合わせるスタイルだ。ただどちらにしろ、各国がAIについて規制を設ける方向であるのは間違いなく、そのことは、生成AIがAGIに近づいていく可能性も想定してのことではある。

このようにAIについて、考え方は国によって異なるものの、各国で規制議論が進んでいる。その中では、アメリカとEUの主導権争いや、拡大する米中摩擦などの影響もある。

では、企業の側はどう考えているのだろうか？

規制の必要性については、グーグルも、ＡＩの運用について「ルールの必要性がある」と認める。ＯｐｅｎＡＩのアルトマンＣＥＯは、２０２３年５月16日に米国上院小委員会での公聴会で次のように証言した。

「ＡＩは場合によっては、かなり間違った方向に進む可能性があると考えている。我々はその危険性について、声を大にしていきたい。だから私たちは政府と協力してそのようなことが起こらないようにしたいと考えている」

グーグルのピチャイＣＥＯも、同５月に行われた会見で次のように語っている。

「ＡＩを使って得られる利益は非常に大きいが、安全性も重要。規制も適切に行わなければならない。そこで、地政学的な理由で安全性や責任を放棄しないよう注意したい。バランスが大切だ。重要な技術を扱う以上、国家安全保障上の問題についても考慮される必要がある」

「責任あるＡＩ」に対する政府の姿勢に彼らが同調するのは、透明性や内容の担保、学習データに関する著作権上の配慮などが、確かに「そこにある課題」であるからだ。

渥美坂井法律事務所・外国法共同事業のパートナーで、自民党の「ＡＩホワイトペーパー」制作メンバーでもある、弁護士の三部裕幸は、ＡＩと法整備の観点について、次のように述べる。

「ビジネスを行うにはルールがない状態より、ある形が望ましい。ルールがビジネスを阻害するのではなく、ルールを盾として進めていくべきだ」

アメリカＩＴ大手の動きは、この考え方に則ったものだ。単に政府に対抗するのではなく、ルールが必要なら自らルール自体を味方にして開発を進めていく方法論と言える。

日本でも同様の議論は進んでいるが、政府としても、２０２３年末の「広島ＡＩプロセス」を民間企業にも問い、トップグループにつけたまま、今後の「本格的ＡＩ開発時代」に入っていきたいと考えている模様だ。

他方で、規制がＡＩの発展や、そこから生まれる創造性に制約をかける恐れがある。だから、大手のクラウド上で動作するＡＩではなく、オープンに開発され、ローカルで動作するＡＩを求める動きも活性化するものと予想している。だが、いずれにしてもそこから生まれたものに責任を持つのは人間の仕事であり、「責任が取れないレベルのことが起きたらどうするのか」も考えておく必要がある。国家が枠を用意し、大企業がその下に入ろうとしているのは、責任が取れない事態への対処でもあるだろう。

進化するＡＩは「文明を破壊」するのか

もう一つ大きな課題を述べておこう。

ＳＦの中で、賢いＡＩは反乱を起こす代名詞のように扱われている。ＳＦでの描写はともかくとして、人間を超えた知性であるＡＧＩが生まれた時、人類にはどんな危機がやってくるのだろうか？　そもそも、ＡＧＩは人類に危機をもたらす存在になるのだろうか？

２０２３年３月、アメリカの非営利団体「Future of Life Institute（ＦＬＩ）」は、ＯｐｅｎＡＩなどに対し、ＧＰＴ－４に類する大型ＬＬＭの学習を少なくとも６か月間、ただちに停止することを求める公開書簡を出した。これにはアップル創業者の一人であるスティーブ・ウォズニアックの他、カナダの計算機学者であるヨシュア・ベンジオが署名し、自ら生成ＡＩに関わっているとして、イーロン・マスクやＳｔａｂｌｅ Ｄｉｆｆｕｓｉｏｎを開発するＳｔａｂｉｌｉｔｙ ＡＩのＣＥＯ、エマド・モスタークの名前もある。

そして、トロント大学名誉教授でグーグルのＡＩ研究部門に在籍していたジェフリー・

ヒントンは、同5月、グーグルを退職していたことを明かす。自身の想定を超えて進歩するAIの危険性について中立的な立場で話すために、AIを開発するグーグルを離れたのだ。

ヒントンはヤン・ルカンやヨシュア・ベンジオとともに、現在のAIのベースとなる「畳み込みニューラルネットワーク」を作った人物だ。2018年、3名は、計算機科学界のノーベル賞とも言われるチューリング賞を、AIの進化への貢献を讃える形で受賞している。その3名のうち2名が、AIの進化速度について危険なものを感じている……ということではある。

実のところ、AIの急速な進化が「危険か」という点について、多くの関係者は一定の危惧を抱いている。先ほど述べた「人間に責任が取れない事象の発生」とはこのことを指す。一方、それがいわゆるカタストロフィにつながるかについては、かなりはっきりと意見が分かれているのが実情だ。

前述のIEEE Spectrumでのアンケートでは、「AGIが文明の破滅をもたらす危険性はあるか?」という質問も行われている。

こちらについては「イエス」が4名、「ノー」が12名、「かもしれない（may be）」が6名だ。直接的な可能性がある、と考える研究者は多くないものの、「可能性がゼロではない」という懸念を抱く人は少なくない、ということだ。実は、サム・アルトマンもジェフリー・ヒントンも、そしてヨシュア・ベンジオも「かもしれない」と答えている。

イエスと答える人も「かもしれない」と答える人も、アンケートに寄せられたコメントを見ると、いわゆる「AIの反乱」の危険性を考えてはいない。

ヒントンのコメントが典型的だ。

「つい最近まで、AGIができるまでには20年から50年はかかると思っていた。だが今は、20年以内だろうと考えている」（IEEE Spectrumにヒントンが寄せたコメントより抜粋）

AGIになるにしろならないにしろ、拙速に進めて規制や透明性についての議論が行われないまま開発が進んでしまうと、予想のつかない回答をAIが行うようになり、それが社会に悪影響を及ぼす可能性がある……と警告しているのだ。

第2章で解説したように、今のAIは人間と同じように思考してはいない。ルカンが指摘するように、生成ＡＩは人間の思考が持つ多様性を持っておらず、いわば前出の思考実験である「中国語の部屋」に過ぎないのかもしれない。いかに人間であるかのような回答に見えても、今の生成ＡＩが回答を決める方法論は人間とは異なり、「人間のように答える別の知性」のように振る舞っている、と考える方が適切だろう。

生成ＡＩは我々の生活を楽にし、豊かにしてくれる存在になりうる。だが、あえて擬人化して語るが、「彼ら」の知性（に見えるもの）は人間とは違う観点で動いている。だから、その答えを鵜呑みにすることもできないし、最終的な判断と責任、監査は人間が行わねばならない。

むしろ、別の観点で我々をサポートしてくれる存在が生まれつつある、と捉えて付き合っていった方が安全であり、建設的なあり方なのではないだろうか。

今後、知識を蓄えるという意味で、人間の役割が薄くなっていく可能性はある。巨大なデータベースである「ウェブ」があり、そこから学んで人のために情報を引き出す手段としての「生成ＡＩ」がある。「知識から必要なものを呼び出す」という役割において生成ＡＩは人間を超えるし、手間も削減してくれる。ウェブが生まれた１９９０年代からある考え方ではあるが、それがいよいよ現実のものとなってきた。

だとするならば、人間はより「自分のため、人間のためになるように判断する」ことを意識して行動する必要が出てくる。間違いをそのまま使えば自分にとってマイナスだし、楽をするために使うとしても、その目的が「学習」にあるなら、楽をすること自体がマイナスということになる。そうした判断ができるようになるには、相応の知識と学習も必要だ。結局、知らなければ判断はできないのだし、判断が不要と言えるほど、ＡＩに依存しきって生きていけるわけでもない。

ただし今後、ＡＩの学習や活用についていろいろな思惑で規制が入るならば、「自由な発想のパートナー」とするのが難しくなっていく、ということでもある。創作物を作る時には、あえて倫理を逸脱したり正しくなかったりすることを考え、それを形にすることがある。その過程に「ルールのあるＡＩ」が絡みづらくなる可能性はあるだろう。

そうすると、サーバーを介さず、自分の機器の中で動く生成ＡＩが求められるようになる可能性はある。しかし、生成ＡＩが動くような高性能なＰＣを用意してまで「ＡＩをパートナーとして、全く自由に創作する」人は少ないかもしれない。相手がルールに従った答えしか返してこないとわかった上で、人間の側が自由に考える方がリーズナブルではある。

生成ＡＩが抱える二つの「不都合な真実」

最後にもう一つ、重要な観点を指摘しておきたい。それが「持続性」だ。

ＡＩには二つの「不都合な真実」がある。

一つは、ＡＩの学習に多くの人手がかかっている、ということ。

特に画像認識や音声認識のＡＩでは「教師あり学習」が多く使われている。写っているものが何かを「教師」が教えなくてはいけないわけだ。教える作業を「ラベル付け」というが、大量のデータに内容を示す「ラベル」を付ける作業は、それぞれを人間が分担して行っている場合が多い。高い費用は払えないので、最低賃金に近い価格で、人間側はあまり考えることなく、まさに「機械的」に大量のタグ付けを行う労働が存在する。

ＧＰＴ－４に代表されるＬＬＭは、最初の学習では教師＝ラベル付けを必要としない「教師なし学習」なので、画像認識ＡＩに比べるとラベルへの依存度は低い。だが、一定の規模になったモデルから用途に合わせて「ファインチューニング」する場合には、人の手によって回答の質についてフィードバックを重ねることで最適化を行う。だから、人手が不要なわけではない。

各社ともに学習のコストにはセンシティブになっていて、教師なし学習を増やす方向性にはある。だが、大IT企業のAIが「ラベル付け」という超搾取的な労働に支えられて進化してきたことは、不都合な真実そのものと言えるかもしれない。

これからいかに「非人間的なラベル付け作業やフィードバック作業」を離れてAIに学習させていけるか、という点は大きなテーマになる。同時に、そこで学習になにが使われたのかを明示する「透明性」も重要だ。

二つ目は「エネルギー」だ。

現在の生成AIは、高性能なサーバーに、これまた高性能で大量のメモリーを搭載した「GPU」を組み合わせたもので学習と推論が行われている。現状、生成AIの学習に使われる高性能サーバーは、NVIDIA社の高性能GPUを使った構成になっているが、これは1台で2キロワット近くの電力を消費すると言われる。ちなみに、高性能GPUを必要としないサーバーの場合、1台で500ワット程度と言われているので、4倍近くの電力を必要とすることになる。これが何百台と動作するので、生成AI用のインフラの維持には、通常のウェブサービス用サーバーより遥かにコストがかかる。OpenAIが何台のサーバーを持っていて、どのくらいの電力を消費しているかは公開されていない。だが、マイクロソフトが持つ最大級のデータセンターを使っていることだけは知られている。日本で独自にOpenAIと同じ規模の生成AIを作ろうとしても、それだけの作業に耐えうる設備を用意することすら難しい。

コンサルティング大手のマッキンゼーはレポートの中で、アメリカにおけるサーバーを運営・管理するデータセンターの年間電力消費量が、2030年には2022年の倍（17ギガワットから35ギガワットへ）になる、と予想している。この予想は生成AI向けだけでなく、あらゆるデータセンターを想定したものだ。ここに生成AIのニーズが加わると、必要な電力量がさらに拡大する可能性が高い。

現状の電力リソースを注ぎ込んだ巨大LLMでも、まだまだ人間の能力には届かない。ここから単純に規模を拡大し続けるのは困難なことではないか、という指摘もある。

仮にサーバーを用意できたとしても、電力需要やサーバー冷却のための水資源はどうするのか。これはとても難しい問題だ。

持続可能な生成ＡＩを構築するためには

マイクロソフトは２０２３年5月、電力関連スタートアップの「ヘリオン・エナジー」と契約を結んだ。ヘリオン・エナジーが手がけているのは核融合発電である。これは、いわゆる原子力発電と違って高レベル放射性廃棄物を出さず、稼働を止めるのも簡単だ。発電に使う燃料は、海水から取り出せる重水素と希少なトリチウム（三重水素）である。二酸化炭素の排出は原発と同じように、火力発電所などに比べて圧倒的に少ない。

同社は２０２８年までに商用電力を発電予定で、２０２９年までに50メガワットの電力をマイクロソフトに供給する、としている。マイクロソフトは２０３０年までに「１００パーセントのゼロカーボンエネルギー購入」を目標に掲げており、「夢の発電技術」と言われる核融合発電を手がけるヘリオン・エナジーとの契約も、これを睨んでのものだ。本当に核融合によるエネルギー供給が実現していくのだとすれば、ＡＧＩ時代に必要となる電力の問題は解消に向かう可能性もある。

ただ、ヘリオン・エナジーの計画が想定通りに実現するとは限らない。だからこの流れに疑問を持つ人々もいるのだが、マイクロソフトとの契約は期限までに送電できないと違約金が発生するものなので、少なくともヘリオン・エナジーは一定の自信を持っているのだろう。

仮に核融合発電ができたとしても、サーバー整備と電力が際限なく増えていく問題は深刻だ。サービス提供価格に跳ね返ってくるからである。

あえてここまで言わなかったが、生成ＡＩの最も大きな課題は、「運用コストに見合う収益を確保すること」である。今は圧倒的な可能性の前に、多少苦しくても許されている部分がある。

ＯｐｅｎＡＩの有料サービス「ＣｈａｔＧＰＴ Ｐｌｕｓ」は、一人当たり月額20ドル。マイクロソフトが同社のオフィスソフトを使う法人向けに提供する「マイクロソフト３６５コパイロット」は、月額30ドルで提供される。どちらもそれなりに高価であり、個人に安価に広く……というビジネスモデルではない。その理由は、結局コストのかかるサービスなので、利用量を一定に絞った上で、確実に収益を得ていきたいという思惑があるからだ。

より賢い生成ＡＩを目指すにしろ、その先のＡＧＩを目指すにしろ、ビジネスとして成功するには、コスト的にも環境的にも「持続的である」ことが重要になってくるのは間違いない。

そのため、いかに小さなモデル・小さな演算負荷で十分な性能が得られる生成ＡＩを作るか、ということも大きなテーマになってきている。

メタの公開したＬＬＭ「Ｌｌａｍａ２」は、コンパクトな環境でも動作し、限定された小さなモデルなら、スマートフォンの上でも動くことが目標とされている。同じくグーグルの「ＰａＬＭ２」も、モデルサイズを柔軟に構築したのが特徴で、巨大なサーバー向けからスマホの上で動くものまでが用意されている。

またＮＥＣは、２０２３年7月、自社で日本語処理に特化したＬＬＭを開発したと発表した。日本語の処理については海外のＬＬＭよりも高い能力を持ち、しかも、機械学習モデルのサイズは海外勢の13分の1しかない。海外製ＬＬＭはフルの能力を発揮しようとすると高性能なＡＩ向けサーバーが必須となるが、ＮＥＣのＬＬＭは、数十万円で買えるゲーム用ＰＣや業務用ＰＣで十分に動作する。

これらの動きは、何でも巨大なサーバーに頼るのではなく、機器に分散して使っていこう、という流れを示している。

ＡＧＩは大きな夢だが、生成ＡＩを道具として使うなら、すべての生成ＡＩをＡＧＩに置き換えるのではない、現実的なリソースに合わせた開発も必須になってくる。そしてその中で、ビジネスとして現実的な路線を模索することになる。

日本語ＬＬＭのようなその国に特化したもの、各企業・各サービス専用のＬＬＭなども、単純な「大型化」とは違う一つの姿であるだろう。

結局、ビジネスと環境問題、双方での「持続性」と未来への可能性の間で揺れ動きながら、生成ＡＩは進化していくことになりそうだ。

おわりに

生成ＡＩについて書くのは大変だ。

あまりに技術進化が早く、それを使ったビジネスの変化も素早いため、「最新事情を書いたつもりがすぐに古びてしまう」ことが多い。

本書もその一例であるかもしれない。たった数年後でも「当時はまだそんなことに苦労していたのか」「もうあんなことを議論する必要はない」という部分が出てきているかもしれない。

ただ、２０２３年７月現在、生成ＡＩは大きな流行になっているが、実際毎日使っている人はまだ少ない。ニュースの量と比較した場合、意外に感じるほどだ。コンサルティング会社のＰｗＣジャパンが日本企業に所属する人を対象にとったアンケート調査（２０２

3年5月公開）によれば、生成ＡＩを知っている人は46パーセントしかおらず、「使ったことがある」「業務に活かしたことがある」という人を合わせても10パーセントに満たない。

本書を含め多数の書籍が出ているし、メディアは情報を日々伝え続けてはいるものの、まだまだ生成ＡＩ活用の初期の状況にある、ということだ。そこに可能性を感じ、お金と才能が集まってきているので、これだけ急激に変化しているのである。

日本における生成ＡＩの権威の一人である、東京大学の松尾豊教授は「このような黎明期に、日本が世界の議論についていき、トップグループにいる。これは極めて異例なこと」と話す。筆者も同感だ。皮肉な言い方だが、過去20年に起きたＩＴのトレンドにおいて、日本が技術だけでなく、政策・法律・運用などの面でもトップグループの国々にさほど遅れずに議論や試案を公表し、ついていっている事例はほとんどない。

だからこそ、今回のチャンスは活かさねばならない。多くの人にとっては、大規模言語モデルそのものの技術的な変遷を理解する必要はなかろう。だが、それも毎週のように進化しており、技術者の間では議論が進んでいる。その状況こそが重要だ。

だから筆者は、より多くの人々にＡＩの歴史や基本的な成り立ち、導入に関する議論の経過を知ってほしいと思っている。そのことが、「人間のように見えるが人間とは全く異なる知の仕組み」と付き合うには重要と考えているからだ。

同じ思考形態を持つ人間同士でも、国や地域、世代が違えば意見が異なる。そこで衝突を減らすには、相手のことを知り、譲るべきところと譲るべきでない部分を認識し、対等に付き合う必要がある。

当面、人間がＡＩと「対等に付き合う」ことはなかろう。だが、ＡＩが人間の対話から学習し、知識を積み重ねて賢くなり続けているのは間違いない。いつの日かＡＧＩ（汎用人工知能）が生まれた時、我々はより慎重に彼らと付き合う必要が出てくる。どのように実現され、どんなことを学習し、人間にはどう対処すべくルール付けされたのか——。そうした世界は、今の議論の先にある。

そういう意味で、筆者は生成ＡＩを使いながら、ちょっと面白い現象に遭遇している。何となくだが、こちらが「やわらかい言葉」で命令を与えた時と「ぞんざいな言葉」で命令を与えた時では、前者の方が満足できる回答を得られているような気がするのだ。

生成ＡＩは幾多の文章から学習して作られている。そこではきっと、「やわらかい言葉遣いの方がコミュニケーションを円滑にする」といった内容の文章や、その結果が学習されていることだろう。

そう思ってSNSを見ると、ＣｈａｔＧＰＴなどの利用例としてシェアされている画像の中で書かれている命令には、「〜してください」「please」と文章を締めているものが多いような気がしてきた。

ＡＩにやわらかく、優しい言葉遣いをしないといけないというルールはない。でも、なにかをやってくれて、一緒に働く相手には思わずやわらかく丁寧に接してしまうことが少なくないだろう。それもまた人間だ。それがいつまで続くかはわからないが、ＡＩと働く上では、自分の行いがＡＩにも反映されていく……という考えを持っておくことが重要なのかもしれない。

コンピュータは入力、演算、出力を行う装置であるという原則がある。それはＡＩでも変わらない。

「ゴミを入れたらゴミが出てくる（garbage in, garbage out.）」

この原則を頭に入れつつ、ＡＩとも良い関係が築ける未来になるといいのだが。

２０２３年７月

西田宗千佳

参考資料

注　ウェブへのリンクは2023年7月段階のもので、常にアクセス可能とは限らない。

〈第1章〉

・Attention Is All You Need
https://arxiv.org/abs/1706.03762

〈第4章〉

・ネットフリックス『犬と少年』
https://www.youtube.com/watch?v=J9DpusAZV_0
・文部科学省　「初等中等教育段階における生成ＡＩの利用に関する暫定的なガイドライン」の作成について（通知）
https://www.mext.go.jp/content/20230704-mxt_shuukyo02-000003278_003.pdf

〈第5章〉

・2022年6月11日付 ワシントン・ポスト ウェブ版掲載
「The Google engineer who thinks the company's AI has come to life」
https://www.washingtonpost.com/technology/2022/06/11/google-ai-lamda-blake-lemoine/

・The AI Apocalypse: A Scorecard
https://spectrum.ieee.org/artificial-general-intelligence

〈おわりに〉

・ＰｗＣジャパンによる「生成ＡＩに関する実態調査２０２３」（２０２３年5月公開）
https://www.pwc.com/jp/ja/knowledge/thoughtleadership/generative-ai-survey2023.html

校閲　円水社
本文組版・図版作成　米山雄基
写真提供　共同通信社

西田宗千佳 にしだ・むねちか
1971年、福井県生まれ。ジャーナリスト。
得意ジャンルは、パソコン・デジタルAV・家電、
そしてネットワーク関連など「電気かデータが流れるもの全般」。
朝日新聞、読売新聞、日本経済新聞、文春オンライン、
Business Insider Japan、ASCII.jpなどに寄稿する他、書籍も執筆。
著書に『デジタルトランスフォーメーションで何が起きるのか』（講談社）、
『ネットフリックスの時代』（講談社現代新書）、
『ソニー復興の劇薬』（KADOKAWA）など。

NHK出版新書 705

生成AIの核心
「新しい知」といかに向き合うか

2023年9月10日　第1刷発行

著者　西田宗千佳
発行者　松本浩司
発行所　NHK出版
〒150-0042 東京都渋谷区宇田川町10-3
電話 (0570) 009-321（問い合わせ）(0570) 000-321（注文）
https://www.nhk-book.co.jp（ホームページ）

ブックデザイン　albireo
印刷　壮光舎印刷・近代美術
製本　二葉製本

Printed in Japan ISBN978-4-14-088705-9 C0236

NHK出版新書好評既刊

徹底解説 エネルギー危機と原発回帰
水野倫之 山崎淑行

原発回帰の課題から再生可能エネルギーの現状まで、NHK解説委員・デスクが日本のエネルギー問題を徹底解説。池上彰氏との特別鼎談も収載!

702

昭和ブギウギ 笠置シヅ子と服部良一のリズム音曲
輪島裕介

大衆音楽史研究の第一人者が楽譜草稿などの貴重資料を渉猟し、「ブギの女王」と「スウィングの申し子」コンビが近代の芸能に遺した業績を書き尽くす。

703

絶滅する「墓」 日本の知られざる弔い
鵜飼秀徳

土葬、風葬から男女別葬、骨仏、肉体と魂を分けて埋葬する両墓制まで。全国各地を取材した著者が、滅びゆく日本の葬送文化を明かす。

704

生成AIの核心 「新しい知」といかに向き合うか
西田宗千佳

社会現象となった生成AIは、我々の生活、働き方をどう変えるのか。リスクや限界も押さえつつ、人間とのベストな協業体制、活かし方を考える。

705

新幹線全史 「政治」と「地形」で解き明かす
竹内正浩

なぜ新駅や路線はその場所につくられたのか。誕生から拡大期を経て、リニア中央新幹線まで。新幹線の歴史を路線ごとに書き尽くす決定版。

706